CRÓNICA
DE LA
VICTORIA

FABRIZIO MEJÍA MADRID

CRÓNICA DE LA VICTORIA

temas 'de hoy.

© 2018, Editorial Planeta Mexicana, S.A. de C.V.
Bajo el sello editorial TEMAS DE HOY M.R.
Avenida Presidente Masarik núm. 111, Piso 2
Colonia Polanco V Sección
Delegación Miguel Hidalgo
C.P. 11560, Ciudad de México
www.planetadelibros.com.mx

Diseño de portada: Oscar O. González
Fotografía de portada: Octavio Gómez | Archivo/ procesofoto
Imagen de la contraportada: Creative Commons, fotógrafo Rodrigo González
Fotografía del autor: Cortesía Sashenka Gutiérrez Valerio
Diseño de interiores: María Carolina Orozco Rodríguez

Primera edición en formato epub: octubre de 2018
ISBN: 978-607-07-5372-5

Primera edición impresa en México: octubre de 2018
ISBN: 978-607-07-5358-9

El contenido de este libro es responsabilidad exclusiva del autor y no refleja la opinión de la editorial.

Los versos de Carlos Pellicer provienen de: *Obras. Poesía*. Ed. Luis Mario Schneider, FCE, 1981. Páginas 13, 14, 19, 28, 53, 99, 100, 148, 151, 182, 185.
La paloma. 1863, Canción popular. Autor desconocido. Páginas 17 y 18.
Fragmento *Sejanus: His Fall de Ben Jonson, 1603*. Página 146.
Fragmento *Ni el dinero ni nadie. José Alfredo Jiménez*. Página 34.

Impreso en los talleres de Litográfica Ingramex, S.A. de C.V.
Centeno núm. 162-1, colonia Granjas Esmeralda, Ciudad de México
Impreso y Hecho en México -*Printed and made in Mexico*

Nada puede ser progreso si no supone un in-
cremento de la felicidad. La felicidad es sólo
concebible en términos del aire que hemos
respirado entre aquellos que han vivido con
nosotros, en su desesperación y en su desam-
paro que son, también, nuestros.

WALTER BENJAMIN

Índice

PRIMER ACTO

Función por adelantado de las 30 millones
de representaciones.   11
Porque si Godot no hubiera muerto…
todavía lo esperarían.   45

SEGUNDO ACTO

Agua de Tabasco vengo / y agua de Tabasco voy. /
De agua hermosa es mi abolengo / y es por eso que
aquí estoy / dichoso con lo que tengo.   87
Los tres Andreses   111
La ley no es la justicia.   125

TERCER ACTO

Informe de mudos.   161
Informe de sordos.   167
Informe de ciegos.   177

Epílogo.   185

PRIMER ACTO

Que trata de cómo se llenó el Zócalo para
celebrar y las preguntas que de ahí surgen

Función por adelantado de las 30 millones de representaciones

Ahí están, vienen por las calles, sin más consigna que sus sonrisas. Pienso que nunca los he visto celebrar, aunque los he visto indignarse. Salen por las escaleras del Metro, por Madero, como los villistas y los zapatistas del invierno de 1914, bajan de bicitaxis, aparecen. Ese es el aspecto de lo nuevo esta noche del primero de julio de 2018: aparecen sin ser convocados. Detrás de ellos no hay partido alguno, ni sindicato que los cite, les pase lista, les reparta ese único alimento de las elecciones mexicanas: la torta. Lo que existe es lo que se ve: gente que viene hasta el Zócalo, hasta el lugar adonde estuvo prohibido llegar durante los seis años del último alcalde del PRD, y que sólo sirve para juntarse, entre los cuatro poderes de la ciudad: el Palacio Nacional, el Ayuntamiento, la Catedral Metropolitana y los comerciantes. Están aquí y siguen llegando, sonrientes, con un gesto compartido, breve y poderoso: del puño emerge el dedo pulgar pintado de tinta indeleble. La frase universalizada en la complicidad entre desconocidos:

–¡Felicidades! ¡Ganamos!

Pero, ¿qué ocurrió? El fin del Partido Único tantas veces anunciado, con sus 75 años, más seis de su regreso. El rechazo a los treinta años de neoliberalismo, es decir, a disfrazar de voluntad general el que los altos burócratas hagan millonarios a sus compadres. El triunfo de una izquierda proscrita y perseguida desde finales de la década de 1950 hasta 1979 y que, cada vez que puede lograr la victoria, sea movimiento o partido, acaba en la cárcel.

Pero, ¿qué es? Es una revolución nacional vía las urnas. Es una rebelión a voto depositado de treinta millones de electores que jamás habían aparecido antes (la última elección presidencial se ganó con diecinueve millones, de los cuales cinco millones fueron votos comprados). Una rebelión que confía en su propio poder soberano y le otorga toda la importancia a cruzar las boletas como signo de que exige un cambio en las instituciones. Esa contradicción de todo lo que apela a la soberanía ciudadana: el poder supremo que sólo existe cuando se entrega; el voto que señala como ineficaces a las propias autoridades electorales; el voto que salva esta elección a pesar de quienes nunca pudieron detener la compra de sufragios, las llamadas telefónicas anónimas contra el candidato ganador, y hasta el robo de boletas unos días antes.

Pero, ¿qué es? Son los que vienen caminando y abrazados. Tienen, lo sé, esa convicción de que el voto, aunque sea ese acto único de un domingo cada tres o seis años, contiene una intuición moral: «Todos valemos uno y nadie más de uno». Esa certeza moral que excede a toda ciudadanía: somos iguales y libres, aunque sea sólo en el instante en que cruzamos una boleta electoral. Eso es lo que hay aquí: los que emergen de las casillas, animados por el reconocimiento mutuo de su igualdad: el pulgar al aire. Pero es también algo insólito que, en términos matemáticos, desquicia a quienes jamás creyeron en que la democracia mexicana estaba dividida en tercios: una mayoría que dictamina por medio del voto que no cree más que en su propia soberanía y la entrega en representación a quien ha repetido y denunciado durante doce años que no podemos seguir viviendo igual.

Aquí están y vienen llegando. Votaron preocupados por el estado del barrio, de la ciudad e, idealmente, por lo que todavía llamamos patria: todo lo que se encuentra afuera de nuestra puerta de entrada y que llamamos «lo público»; no un territorio de «los políticos», sino de todos los ciudadanos que, sintiendo el impulso moral, decidieron actuar para que las cosas no sigan igual; que se castigue, quitándolos de los lugares de privilegio, a los responsables de la corrupción y las injusticias; que hay una única salida y no importa lo que se diga sobre ella, no hay que cerrarla porque es la única que nos queda. Eso explica la refracción contra todo embuste, pero también contra la crítica no interesada que tiene la decisión de votar por López Obrador para que sea presidente. Esa impermeabilidad viene de una intuición moral.

—Ve cuando toman la hostia los católicos —me dice justo uno de los boleros de afuera de la Catedral—, que todos están contentos y se dan la mano.

—Sí, ¿qué tienen? —le contesto sin entender a qué va.

—Ahora estamos como ellos. Nada más que, en lugar de la hostia, parece que nos hubieran dado un pedacito de Patria.

Se vale celebrar. Se vale la épica y lo sentimental. Va el Carlos Pellicer a la mano:

> El encanto siempre desconocido
> de las olas nuevas
> y el barullo de la espuma sesgada,
> Recuerda ese minuto heroico
> cuando el universo se nos desnuda
> en lágrimas,
> y sólo un acto de ternura
> nos pone en pie sobre las ruinas
> izándonos el alma.

13

Sobre ruinas izamos el alma. Hay algo de final de partida, de esperanza trágica. No de optimismo, que es la boba creencia de que todo será, por que sí, mejor. Ese vano optimismo fue del año 2000, cuando la llegada de Acción Nacional pareció, para algunos, el paso a una etapa sin PRI. No ocurrió así. Esta es una esperanza trágica, la de la última salida, la de que es posible que haya quedado algo después del naufragio y, con esas ruinas en los puños, empezar a reconstruir. La última salida fue protegida por cada uno de los treinta millones de votantes: no se permitieron repartir sus votos entre partidos, no quisieron arriesgarse a que les volvieran a hacer fraude, hicieron una tregua con las críticas:

–Hay que ver si lo dejan ganar y, luego, lo discutimos.

Votamos en masa y sin distinciones, como se abre una salida de emergencia. Sólo importó que se abriera y pudiéramos salir todos hacia ese pasillo, transitarlo con expectación, sin saber a dónde nos conduce. Pellicer:

> Mi voluntad será como la tuya,
> numerosa y fanática,
> sin temores ni exclusas.

Dos horas antes, mientras la televisión transmitía el discurso de aceptación de la derrota del candidato del PRI –«la coalición Todos por México no es la triunfadora en este proceso de sufragio ciudadano para la Presidencia de la República. En este momento habré de reconocer que, de acuerdo a las tendencias, fue Andrés Manuel López Obrador quien obtuvo la mayoría»–, sonó el teléfono en mi casa. Del otro lado, la voz cascada de un viejo militante del 68 me dijo:

–No me digas qué pensar, dime qué sentir.

—Yo no sé —murmuré—, pero el Zócalo sabrá.

Y así fue como llegamos aquí.

———■———

Somos los que supimos desde niños que nos iría peor que a nuestros papás.

Somos a quienes llaman «chairos», «ajolotes», «indignados».

Somos los que ya no decíamos «Sonríe, vamos a ganar», porque luego el Programa de Resultados nos derrotaba durante la madrugada.

Somos a los que les decían en cada elección: «Acepten la derrota. En la democracia se gana por un voto».

Somos los que nos asombramos con el ascenso de Salinas, el de Fox y el de Calderón.

Somos los que nunca entendimos por qué la gente no se indignó cuando Peña Nieto les quitó el petróleo y la educación pública.

Somos los que descreímos como nadie.

Somos tus vecinos que ponen a todo volumen a Carmen Aristegui para que se enteren.

Somos el país que vive entre las fosas sin nombre y las Casas Blancas.

Somos los que creemos en una Patria que son todos los demás.

Somos a quienes el miedo les queda mucho más cerca que «Venezuela».

Somos los que nunca pensaremos como debemos pensar.

Somos a los que, si vienes al Zócalo, verás.

———■———

La gente que viene al Zócalo a celebrar el triunfo de Andrés Manuel López Obrador es la izquierda coleccionada por sí misma: el cardenismo de 1988 –el del reclamo para que se contaran los votos y jamás el de la evocación de la educación socialista–, el zapatismo de 1994 –el que reconoce que México es racista y encuentra en la autonomía comunitaria una solución al descomunal despojo global–, la lucha contra el desafuero del alcalde electo de la Ciudad de México –que piensa que las opciones en la boleta no deberían ser palomeadas por el presidente en turno como una forma de dedazo enguantado en legalidad–, el estado de ánimo que en los dos fraudes, 2006 y 2012, denunció lo que obstaculizaba el simple depósito de la boleta en una urna y su conteo: el fraude cibernético y la compra de votos, la decisión de los poderes monopolizados por encima de lo que es tan simple: un domingo de cada tres o seis años, todos valemos lo mismo: uno.

La épica a la mano es la de lo pequeño. En cada uno de los treinta millones que han votado por él este primero de julio hay, por primera vez, la sensación de que tiene un efecto discutir las opciones, decidirse por una y levantarse para ir a votar. De eso se trata la presencia de los cuerpos en las calles: nadie los ha convocado, se han coleccionado a sí mismos, para dejarse ver, para abrazarse en un desenlace feliz por compartido. Además de la épica tan prohibida por los jueces cínicos que desdeñan todo triunfo de los más –aquí, los pobres; aquí, también, la clase media cuya existencia ya es sólo tarjeta de débito, indignada por la corrupción; aquí, el millón de familias sin poder salir de la frecuencia de la violencia y el miedo cotidianos–, además de esa heroicidad que significa ir a votar en un país en donde, entre el sufragio y su conteo, siempre se interpone el dinero, la trampa, también ejercemos en público la otra prohibición: lo sentimental. Desde Eugenia León cantando *La paloma* hasta el recuerdo de los puños apretados en el desafuero de 2005 y el desenlace por punto cinco de 2006, las lágrimas se abren paso. La felicidad es una forma de la modestia. Es breve pero densa. Dice Pellicer: «La hierba crece en la humildad». *La paloma*, una canción de las tropas de defensa contra la invasión francesa, suena en el Zócalo desde una bocina que, supongo, está amarrada a un poste de luz en la esquina de la calle de Madero. Es una canción que se hizo popular entre las tiendas de campaña –plásticos– del plantón de 2006, el que evitó que la gente, indignada por el fraude de 0.56 por ciento, se fuera al Palacio de San Lázaro a impedir que Felipe del Sagrado Corazón de Jesús Calderón Hinojosa tomara la silla imperial. No sabíamos que, falto de legitimidad, decidiría lo que todo dictador en apuros: declarar una guerra. Escogió al «crimen organizado», un enemigo al que no se le puede derrotar porque no existe como tal, como contrincante, como alguien que puede firmar la paz o decretar una tregua. El fraude del 0.56 en la madrugada se sintió como una usurpación. Por eso la canción que cundió durante el plantón que lo denunciaba fue ésta, que combina los días en que la República se movía en una carroza por la frontera norte y los días en que se esperaba vanamente que los tribunales decidieran contar voto por voto y casilla por casilla para saber quién había ganado la presidencia:

> El año sesenta y cuatro, válgame Dios
> Estábamos en la guerra de intervención
> La danza de la paloma hacía furor
> En medio de los desastres de la nación
> Maximiliano con todos sus traidores
> Se creían invencibles los invasores
> El presidente Juárez y sus patriotas
> No se desanimaban con las derrotas
> Se vino el invasor

Por toda la nación
Ah, destruyendo nuestros hogares
Sin tener compasión
El año noventa y cuatro así pasó
Estábamos en la lucha de sucesión
La danza de las monedas hacía furor
Por los dioses de la guerra y la corrupción
Si a tu frontera llega una paloma
Cuida que no sea buitre lo que se asoma
Cuánta falta nos hace Benito Juárez
Para desplumar aves neoliberales
No te quiebres país
Aquí está mi canción
Que un águila y una serpiente
Defienden la nación
Ay, palomita, de ayer y hoy
Contra el racismo y la intervención
Vuela, paloma, a las fronteras
Quita una estrella a su bandera
Que no queremos imperialismos
Estamos hartos de su cinismo
Que nuestros aires son soberanos
Somos chinacos y mexicanos.

Los que hemos llegado hasta aquí pasamos por todo: no es lo mismo ganar, que te dejen ganar; no es lo mismo ganar y que te dejen gobernar —todavía resuenan las televisoras pidiendo la renuncia del primer jefe de Gobierno del DF, Cuauhtémoc Cárdenas—; no es lo mismo ganar que enunciar un porvenir. El «quizás» es su única ocasión. Pero existe ahora en las calles ocupadas por miles de cuerpos que se presentan sin ser convocados por un poder. ¿Qué dicen con su aparición? Me acuerdo de unos versos de Carlos Pellicer, a cuya campaña externa al senado en 1976, le debe Andrés Manuel López Obrador su entrada en la política:

> El acto de pensar se vuelve canto
> y nuestra vida al borde de la noche
> comienza a despertar.
> No hay que volver a nada.
> Ya casi hemos llegado a nube firme.

Un vapor seguro. Eso es el movimiento. El velo macizo cuya entrada en la historia es nombrarse como histórico. Se entra de espaldas, mirando las derrotas del pasado y a sus muertos. No puede entrarse de frente porque el porvenir no se puede ver, salvo nombrarlo como quizás. Se usa a un hombre que tiene tres nombres: Andrés, para quien lo conoce; López, para quienes creyeron que haciéndolo un hombre común le restaban en vez de sumarle; Obrador, para quienes es la idea de alguien que hace, que concibe, que compone, que gobierna y no sólo administra. López Obrador es el hombre que quiere actuar pero que no lo dejan. Es el hombre de los obstáculos y por eso su triunfo es de la esperanza trágica. No del optimismo como fe ciega en que las cosas se van a despejar, sino de quien tuvo que tomar los restos que nos dejó el naufragio para hacerse de una barca. La felicidad de este Zócalo es la de sostener el cuello delante de una tempestad.

Andrés era un militante del partido que surgió del fraude de 1988 cuando, silenciosamente, se mudó con su familia a un departamento de Copilco 300, frente a la Universidad Nacional. Yo vivía en la planta baja del edficio 16, desde 1985, y me lo topaba en las madrugadas; yo llegando de los despojos de una sobremesa dilatada hasta el arrepentimiento, y él saliendo, recién bañado, a trabajar. Nos dábamos los buenos días y él se metía en el Metro y, a veces, hablaba por el teléfono de la esquina. Sólo una vez hizo una fiesta, el día de su cumpleaños: el pasillo olía a pescado y se escuchaba una marimba. Tiempo después se mudó con Rocío, enferma de lupus, y sus hijos, a unos departamentos del parque de enfrente, el Hugo B. Margain, a un edificio viejo desde el que algunos representantes del Consejo Nacional de Huelga de 1968 vieron la toma de Ciudad Universitaria por el ejército. Cuando lo desaforaron por órdenes del presidente Fox para que no compitiera en la boleta, desde ese parque daba sus conferencias de prensa. Las paredes en torno se llenaron de notas de apoyo: «Peje, El Toro». Desde entonces es el hombre común, el vecino discreto, el hombre cuya medianía enfurece a los oligarcas del dispendio.

Cuando era jefe de Gobierno de la Ciudad de México fui a verlo para escribirlo. Me adentré en eso que fueron las conferencias de prensa a las seis de la mañana, el Zócalo, este Zócalo hoy festivo, entonces, en 2004, desierto y frío; una cafetera destartalada en la apretada sala llamada «Francisco Zarco», y el manejo de las preguntas con el «lo que diga mi dedito». Por razones que no recuerdo, me fijé en el escritorio de su oficina: un libro de Antonio Ortiz Mena, dos de historia nacional del siglo XIX, artesanías que le regalaban en las comunidades, un café turco para aguantar la jornada de diez horas. Ese es Andrés, el estudiante de Ciencia Política que puso a prueba su primer matrimonio al irse durante años con los campesinos de La Chontalpa de Tabasco. Lo volví a ver cuando subió a los terrenos del Encino, cuando lo desaforaron por construir un camino para un hospital. A ese mismo, al hombre común (López), al que no dejaban hacer (Obrador) lo miré sentado junto a Elena Poniatowska, en una carpa en este mismo Zócalo, entonces el Zócalo del fraude electoral, diezmado, entre aguaceros. Esa madrugada, un día antes de la resolución de la Corte que le dio la presidencia a Felipe

Calderón, una camioneta amarilla arrolló a los manifestantes contra el fraude electoral sobre Reforma, frente al Museo de Arte Moderno. Se dio la vuelta, subió al camellón y trató, de nuevo, de pasar por encima de los que hacían guardia. Ese conductor simboliza todo lo que se opone al lopezobradorismo. En su intento homicida dejó ahí tirada la defensa de su coche.

Lo que apoya este triunfo esta vez no son sólo los pobres ni los viejitos, como despectivamente aseguraron los opinólogos en 2006, sino además los jóvenes, las mujeres y las clases medias universitarias. En la suma para una coalición electoral y no ideológica, se diluyó la izquierda del cambio de sistema económico por el cambio de régimen político. El combate a la corrupción como prioridad sobre la desigualdad. Lo que había cambiado no era López Obrador sino el país: roto por las consecuencias de los dos fraudes electorales, la guerra de Calderón como legitimación del que se sabe impuesto y las privatizaciones de Peña en petróleo y educación, la patria necesitaba una reparación. El neoliberalismo dejó de funcionar como porvenir modernizador y sólo planteó un ataque al «populismo», es decir, a abrir el capitalismo de los compadres. Del lado modernizador no hubo más que un futuro como presente mejorado. Se les pidió a los electores esperar a que lo que no había funcionado en treinta años, empezara, ahí sí como por arte de magia, a funcionar. El candidato del Frente PAN-PRD empezó hablando de autos que volaban y terminó repartiendo tarjetas cuyos fondos «de por vida» se activarían si ganaba. El candidato del PRI tuvo que cargar con el desprestigio del presidente en funciones y trastabilló entre el «no soy del PRI» y «háganme suyo» y el abrazar al líder de los petroleros, símbolo contundente de la corrupción.

«López» es, a decir de Carlos Monsiváis, el político más atacado desde Madero. Contra él se han usado desde el «payaso» que le profirió Diego Fernández de Cevallos en la exhibición

21

impúdica de los expedientes falsificados del Paraje San Juan en 2003 –el magistrado Mariano Azuela lo llamó «demócrata populista»– hasta su infarto en 2013. En esta campaña, la retahíla de insultos en su contra siguió la abigarrada línea de la rabia oligarca y de la clase media que fantasea con que votar por el neoliberalismo lo candidatea para portada de *Forbes*: sirve a intereses extranjeros –rusos o venezolanos–, espanta la inversión, está senil, tiene dos departamentos de 85 metros cuadrados, es una vuelta al echeverrismo –un corporativismo donde ya no dejaron casi nada de Estado–, es «provinciano» –dijo el ganador de los Juegos Florales de Tehuacán en 1954, Gabriel Zaid– , está enfermo –del corazón o de ambición, usted escoja–, va a regalar dinero en efectivo –dicen los de las tarjetas de compra del voto–, y –*last but not least*– «pactó con el PRI». Del otro lado, de quienes se fueron uniendo a la idea de un país naufragado que requería de los restos que había dejado la tempestad para hacer una barca, también se recibieron insultos: se les dijo que iban a votar por puritito coraje y sin pensar –dijeron los que han usado como argumento el miedo a perder la casa que ni es suya– o que estaban aburridos y melancólicos como ajolotes enjaulados en la genética de un cromosoma vernáculo. Hacia el final de las campañas, imperó una defensa extraña del reparto del voto como *blackjack*: «Si quieren voten por el honesto, pero también por los rateros para preservar la pluralidad». Esta última propuesta fue del ingeniero Enrique Krauze y de la cantante Gloria Trevi.

Pero «Obrador» fue refractario a los insultos o, más exactamente, sus apoyadores los soportamos como parte de la injusticia generalizada: en este país hasta los insultos, las calumnias y las falsedades están mal repartidas. Desde 2003, cuando se le demanda por mil millones de pesos en indemnizaciones por el Paraje San Juan, el funcionario público se sitúa en la categoría de «ejemplar»: reconoce la ley y sus resoluciones pero, también, avisa sobre sus consecuencias. En la hipocresía de un país en donde la ley se sacraliza en la letra, pero es laxa en sus resultados, Obrador es quien, desde el desafuero y en los dos fraudes en su contra, establece una utopía mexicana: que ley y justicia corran por los mismos caminos. La forma en que aguantó los ataques está sostenida en su «ejemplaridad»: si él es intachable, podrá exigirle lo mismo a sus funcionarios y a nuestros representantes. El problema con todos los insultos fue de quién provenían. Para decir una mentira que tenga éxito es necesario que quien la profiere sea confiable. Nunca fue el caso.

–Estamos aquí por un efecto de las palabras– me dice un chavo de esos que tienen estudios de posgrado en Estados Unidos, pero sintieron la urgencia de regresarle algo al país.

–Bueno. Es cierto –le respondo–. A uno le creímos y a los otros dos, no.

–Es más que eso –me explica–. La diferencia esta vez fue que los contrincantes de López Obrador usaron el lenguaje como un arma para vender, como una jerga de la competencia, del pragmatismo del ego y de una incesante autodistinción. Trataron de «vender», no de convencer. Por eso, no respetaron el valor de verdad que reside en lo profundo del lenguaje sino que lo utilizaron para ganar una discusión al instante. Se insistió en que Andrés Manuel no había «declarado» al sistema de impuestos, los departamentos cercanos a la Ciudad Universitaria que son de sus hijos. Se insistió en que, durante su gestión en la Ciudad de México, la inversión se había extinguido, a pesar de que todos los capitalinos circulamos ahora por los segundos pisos del periférico de la ciudad y es ostensible el mejoramiento del centro histórico.

Pienso que es cierto lo que me dice el chavo con pos-posdoctorados. Los otros candidatos están aquí porque les fallaron las palabras, porque les fallan a quienes usan el lenguaje como respuesta inmediata para ganar la atención, como algo elaborado para aparecer fácil de entender, apoyado en unos cuantos puntos que se hacen llegar en forma de hechos indebatibles, como una exposición para posicionarse como un producto y tomando a las palabras como un medio para vender. Esa economía del lenguaje no buscó satisfacer la parte de relación interpersonal que subyace a todo mensaje, sino que pretendió vencer en lo inmediato al que la escuchaba, subyugándolo o quitándole credibilidad. En general, fue un uso del lenguaje que no previó las consecuencias que minaron su propio uso. Este tipo de campaña, que nunca buscó decir las bondades de los candidatos o del neoliberalismo que sustentaban, sino sólo alertar contra López Obrador, lo que erosionó fue la capacidad misma de las palabras para sustentar una verdad y, entre ellas, la facultad del lenguaje de prometer.

En los discursos de las campañas presidenciales y para gubernaturas y diputaciones/senadurías, alcanzamos a apreciar cómo han hecho que el lenguaje nos falle en situaciones en que lo necesitamos; en la urgencia, la necesidad y la búsqueda de confianza. Sin un referente real, su lenguaje le da vueltas al vacío de la deshumanización del otro y del eufemismo de lo terrible: por un lado, llamar «loco», «senil», «atrasado» a López Obrador, al contrincante que propone atemperar la desigualdad y, por otro lado, llamarle «desarrollo nacional» a la entrega de recursos nacionales a amigos, parientes y compadres. Se dijo que su triunfo implicaba algo difícil de comprender: la venezolanización. O, en otro intento fallido, que su campaña tenía, como la de Donald Trump, algo que ver con los rusos. Desde Estados Unidos, un opinólogo prometió presentar las «evidencias» de ello. Y ya no escribió más sobre el asunto.

Pero estamos aquí por las palabras. Fue notable la violencia verbal con la que cada vez más los neoliberales minaron su propio uso lingüístico. Porque, si lo importante era ganar en lo inmediato, no importaba mentir, falsificar, y engañar. El problema fue que las palabras usadas no tenían un referente real porque no buscaban convencer sino ganar el punto. En la campaña presidencial lo escuchamos una y todas las veces: no importó decir una mentira que sería desmentida al día siguiente, lo importante parecía ser dejar la impresión, como lo hacen los vendedores, de una seguridad personal. No se vendía el argumento sino la sonrisa de quien lo decía. Lo que vimos fue la búsqueda compulsiva de la ventaja inmediata.

En la cultura neoliberal no existen las verdades sino sólo las opiniones. Sólo diciendo que todo es cuestión de un parecer o de una creencia se evita tener que lidiar con la verdad. Cuando el candidato de una de las derechas, la del Frente, falseó los datos del número de secuestros en la administración capitalina de López Obrador, al día siguiente su vocero dijo que no era una mentira sino «un dato alternativo». Esto abrió un canal para los discursos de odio y del dinero que fluye hacia quienes los propinan. La verdad, el conocimiento, los saberes ya no son necesarios para producir sentido.

Mientras las cámaras de televisión transmiten en vivo la salida del automóvil del presidente electo, un hombre mira su celular en el que –supongo– sigue la transmisión:

–¡Ora sí existimos! –grita, aliviado de una angustia que no le dejaba ser.

El idioma de la campaña fue de total menosprecio, no nada más hacia López Obrador, sino hacia la gente que votaría por él y su partido: «irracionales», «desinformados», «ignorantes», «feligreses alérgicos a las ideas», «tribu arcaica cuasireligiosa». Después de esto, todavía el ingeniero Gabriel Zaid se refirió a López Obrador como «artista del insulto». En otro texto de opinión, Enrique Krauze comentó que la verdadera intención de López Obrador era «fundar una monarquía». Así, la opinión dejó de tener como requisito un mínimo de verdad, de evidencia, para apelar al sentido. Pero nada de esto tocó algún circuito del sentido común y, en cambio, acrecentó el odio.

—No me enojo —me dice una señora que reconozco vagamente de las cientos de marchas de estos años. Creo que su nombre es Cristina—. Así son las campañas. Polarizan. Lo que pasó es que nos insultaron de más. Ahora verán que todo lo que dijeron es mentira. No les deseo ningún mal y van a ver cómo ellos serán los primeros beneficiados de que ahora sí tengamos un porvenir.

Así como el idioma de la Guerra Fría realmente no requería de un referente real —«la amenaza comunista»— y era más bien un ensamble de palabras-clave, hoy sucede lo mismo con el uso mercadotécnico del lenguaje. Se dijo del proyecto nacional de López Obrador que «quería aislar a México del resto del mundo». Así, sin alguna evidencia. Pero quizá la fórmula más despectiva fue la que se usó en la descalificación de las lenguas indígenas por parte de los candidatos de la derecha a favor de la enseñanza del inglés. En la primera, en la enseñanza de las lengua indígenas en las comunidades que las usan, se busca la riqueza de visiones del mundo y su relación con el entorno; en la otra, en insistir en el uso obligatorio del inglés, es ver al idioma como una ventaja competitiva para conseguir un trabajo en una empresa que, por descontado, será estadounidense. El ataque fue, en boca de un vocero del panismo, más brutal: «No me imagino una reunión de planeación en tolteca». Las palabras no sirven para interactuar, sino como ventaja para el éxito comercial. A los que se oponen a ellas, se les insulta, se les ridiculiza, se les etiqueta —tolteca— sin ninguna consideración histórica o moral.

Y esas palabras nos tienen aquí. Después de todo, el lenguaje es un bien común y no la moneda de cambio de los neoliberales.

A pesar de que el lenguaje se usa para ganar y mantener el poder, y que lo usamos para engañar y mentir, para acrecentar el error y sobreenfatizar lo positivo, también sirve para sentir, compartir el dolor, tener sentido, dignificar a los otros y mantenerse cuerdos.

—El lopezobradorismo es un efecto del lenguaje del menosprecio —le estoy respondiendo al chavo de los posdoctorados pero, como siempre pienso lento, ya se ha ido.

Lo que miro son a dos muchachos abrazados que brincan juntos. Veo en la gente que ha salido a la plaza central que estuvo secuestrada por el gobierno capitalino durante seis años, otras utopías. Una de ellas me parece la más profunda: un deseo de reconocimiento y, por lo tanto, de acabar con el menosprecio. El reconocimiento es, desde luego, esa formación de una identidad por reciprocidad. Desde esa mirada, se puede hablar de «derechos» como pretensiones individuales que sabes que los otros cumplirán. Los deberes son su contraparte. La preservación de los derechos por los demás es a lo que llamamos «dignidad». En la experiencia del reconocimiento, el sujeto está seguro de su valor en la comunidad. Ese autorespeto surge de una tensión entre «el yo» —los impulsos y apetitos legítimos— y el «mí», que es la conformación delante de los otros.

Eso veo en esta gente que celebra su triunfo: el deseo de existir para los otros, de ya no ser menospreciados; de contar, al menos por esta noche, con el «honor» social, con eso que el lema de campaña llamó «hacer historia». Mirado desde esa perspectiva se entiende el cambio que estamos haciendo: incluir simbólicamente en la idea de Patria a una mayoría menospreciada. Las luchas por el reconocimiento son, en el fondo, afectivas. El amor, en el sentido político y no en el sexual, es sentirse recíprocamente reconocidos y poderse distanciar unos de otros sin aflicción ni agobio.

Somos una sociedad de castas que vive el disenso como división y la lucha contra el menosprecio como «siembra de odio». Nadie como los ciudadanos de esta noche han sido tan menospreciados y tildados de lastre para «lo moderno». Hoy han respondido al votar. Lo que dicen es algo que han repetido de muchas formas desde hace treinta, cincuenta años: «No sin nosotros». Cada vez que se plantea una modernización despolitizada –la que quiere vendernos la nueva tecnología pero nos escatima la ciudadanía–, aparecemos los que no estamos contemplados. Se nos trata como verdaderos «colados» a la fiesta de la modernidad. Aguantamos y aquí les recordamos que, si todos valemos un voto, somos mayoría.

–Amor con amor se paga –está diciendo López Obrador a quienes no lo dejan avanzar en su coche para llegar al Zócalo.

Es Pellicer aquí, otra vez:

> Suma el amor la resta
> de lo que amor se nombra.
> Y da de comer las sobras
> a un palomar de ceros.

Las imágenes de la transmisión del coche del presidente electo tratando de circular por Calzada de Tlalpan son insólitas: ¿a qué candidato ganador se le han lanzado al cofre, a las portezuelas, al techo, para saludarlo? A ninguno. Una de las cosas que me sorprendieron del funeral de Néstor Kirchner, en octubre de 2010, en Argentina, fue que existían, en alguna parte del planeta, los presidentes queridos.

–Pero, entonces –me preguntó un doliente de la Central General de Trabajadores frente a la Casa Rosada–, ¿qué hacen los mexicanos cuando se muere un expresidente de la República?

–Nada –me sinceré–. O no nos importa o nos da un poco de gusto.

Un presidente querido es lo insólito aquí. No es comparable con el panismo celebrando la victoria en 2000 de Vicente Fox. Ese fue un acto convocado, no espontáneo, no una necesidad de los menospreciados a salir de la plaza central del centro del centralismo a abrazarse porque, finalmente, no era humillados. El reconocimiento mutuo de no conocerse, de no estar pensando en qué cargo administrativo me colaré, de celebrar un pacto entre el PRI y el PAN para fundar un país bipartidista con dos derechas, una laica y otra católica, pero las dos neoliberales, gerenciales, rogando al capital financiero que no se vaya. No, acá estamos los que siempre hemos sido la tercera rueda en el país que se quiso pensar como dual: norte y sur, criollos y morenos, atrasados y modernos, locales y globales. Como votantes no somos un tercio, sino más de la mitad. Y eso también es insólito.

Tienen que haber sido los más jóvenes. De los 30 millones de votos, una buena parte tuvieron que ser ellos, fundidos por obra de la secrecía del sufragio, en el carnaval de las encuestas. «La silenciosa música de callar un sentimiento», diría aquí mismo Pellicer.

—Pinche ley seca —se queja un chavo entrando por 20 de Noviembre—, vamos a tener que festejar como si fuéramos panistas.

Pero no. El Salón Corona trabaja y hay, como desde hace varias semanas en muchas cantinas por todo el país, la oferta: si gana Andrés Manuel, regalamos mil cervezas. Se han difundido por las redes promesas y ofrecimientos de este tipo desde mediados de mayo: tortas, tacos y bebidas, pero también treinta cortes de cabello; cien mandiles de chef; diez mochilas de mezclilla «hechas por mí»; veinte becas para «el taller itinerante de cine y narrativa»; mantenimiento preventivo de *software* y *hardware* a diez computadoras»; «pasantías a 10 niños con problemas de déficit de atención e hiperactividad de nivel primaria»; «veinte mensualidades gratis al gimnasio Star Fit que está en Apodaca, Sonora. Doy la dirección precisa el 2 de julio»; «regalo diez pedicure-sencillo»; «25 horas de renta de mi retroexcavadora para arreglar los caminos de alguna comunidad, cerca de Guanajuato»; «tres cursos de repostería creativa»; «tres juicios de divorcio para mujeres del Estado de México»; o el muy detallado «si gana AMLO les regalo 20 kilos de aguacate a 20 personas, uno por persona, y llevo otros 20 a una casa de asistencia para que le hagan un guacamole a las abuelitas y regalo arbolitos (toronjo, grosella, jacaranda)».

Los anuncios me recuerdan los mensajes que la gente llevaba durante las manifestaciones por el desafuero contra el jefe de Gobierno de la Ciudad de México. Es *prometer*, esa palabra tan desacreditada por uso del lenguaje neoliberal, y es tal la cantidad de profesionistas y negocios que ofrecen servicios y cosas que el Instituto Electoral debe revisar una denuncia por «compra de votos» que interpone el PAN. Es, por supuesto, desechada por improcedente, pero señala la magnitud de lo que los ciudadanos están dispuestos a dar, de cómo se incluyen en una apuesta por la fraternidad y la ciudadanía compartida.

Fue en el Salón Corona, en la calle Madero, en donde, el 20 de noviembre de 2014, acabamos refugiados –la cortina bajada– de los embates de la policía capitalina contra quienes fuimos a la manifestación por la aparición de los 43 estudiantes normalistas de Ayotzinapa. Después de una carga de los granaderos apostados detrás del Palacio Nacional, miles corrimos hacia Madero. Nos apagaron la luz del alumbrado público, y alcanzamos a entrar en el Salón Corona antes de que bajaran las cortinas. Una vez adentro, el gerente nos regaló cervezas y bebimos a oscuras, oyendo los pasos de los policías, las cargas contra los manifestantes y los infructuosos toquidos afuera de los que no se refugiaron a tiempo. Eso recuerdo ahora que el sustituto del jefe de Gobierno –el electo se refugió en una diputación de Acción Nacional en Chiapas– no puede ya humillarnos.

El Salón Corona está abierto y, por supuesto, hay bebidas. Una mujer me abraza y me planta un beso en la boca.

–Prometí que regalaría cien besos –me explica– y tú eres el número 27.

–Veintinueve –replica, un poco harto, un probable pretendiente frustrado– y nunca dijiste que eran en la boca.

En las sillas azul eléctrico se brinda por la aceptación de la derrota del candidato del Frente, Anaya, en las pantallas donde normalmente hay partido de futbol. Algunos se fijan en el gesto de rechazo de la esposa del candidato que empezó hablando de automóviles eléctricos que volaban y terminó comprando votos con unas tarjetas que se hacían efectivas «de por vida», si él ganaba. A la mitad de su discurso robótico, los comensales ya perdieron cualquier interés y se asume que las cosas están cantadas, que no habrá manipulación de cifras en la madrugada, que tenemos presidente.

Ricardo Anaya es un mal arreglo de la rancia oligarquía de los partidos mexicanos. Candidato de una izquierda que competía para ir ganando puestos y contratos, y de una derecha rota por la guerra perdida de su expresidente, Felipe del Sagrado Corazón de Jesús Calderón, Anaya se hizo de las confusiones entre mercadotecnia y campaña electoral: sonrisa congelada, movimientos domesticados de las manos, caminar por el escenario como asechando al público. Sus actos de campaña no eran mítines sino reuniones para venderse, tomando como modelo las charlas de Tecnología, Entretenimiento y Diseño (TED) que año con año se llevan a cabo en Long Beach, California. Con tan sólo un cargo administrativo en el gobierno de Querétaro, Anaya representa a un tipo de político que cree que la respuesta a todo está en la innovación tecnológica, que los mejores gobernantes son «expertos» y que no importa mentir para alcanzar un objetivo. Así, durante los debates televisados, Anaya parecía dispuesto a golpear a su contrincante –Andrés Manuel– recorriendo el escenario más amenazante que confiado. Un video de su campaña donde aparecía en camisa dándole de golpes a una pera de box, molestó a su propio electorado que no ve los debates como combates. En la mentalidad neoliberal –que en el caso de Anaya consiste en querer que el país sea la zona rica de Atlanta– no existe lugar ni para el sentido ni para la verdad. Se vende la imagen –sonrisa inagotable–, se plantean dos o tres puntos de batalla –en su caso, datos inventados de nula inversión extranjera directa durante el gobierno de López Obrador– porque quienes escuchan no pueden retener más, y se puede mentir porque hay que ganar. Anaya es el tipo que siempre tendrá una respuesta aunque no sea cierta, que cree que todo está en cómo mueve las manos, y que los electores son compradores.

Mientras me siento a una de las mesas del Salón Corona a departir con unos señores que se toman las cabezas a cada rato ahogados en su propio dramatismo –«pensé que me moriría sin ver esto»–, pienso en Anaya como la Última Carcajada de la Cumbancha Monopólica. Para los administradores que creen que el Estado es una subcontratación –*outsourcing*– de las empresas privadas, una elección es colocar un producto en el mercado para que lo compren los ciudadanos. Como en las mercancías reales, el producto nunca es nuevo salvo por su empaque –colores nuevos, un «punto dos» para señalar que es mejor que el «punto uno», una cajita más aerodinámica– y vende una fantasía de ser contemporáneo. Anaya se vendió como el nuevo iPhone, porque su idea de futuro era obtusa en un país roto por la violencia, la corrupción y el menosprecio. En algún debate llegó a decir:

–El uso de la telefonía en el campo posibilita que los campesinos revisen los precios internacionales del producto que sea que cultiven.

No había forma de empezar a contarle lo que son los campesinos.

Al final, tampoco entendió lo que es la elección y quiso comprarla con tarjetas que sólo serían un plástico si no ganaba. Acusado de triangular el dinero para su campaña y perseguido por investigaciones a modo de la justicia del PRI, se le presionó –como a Meade– para que declinara su candidatura con el objetivo de presentarle un frente común a López Obrador. Como Meade, se negó. En sus propios términos, los productos no «se había diferenciado» lo suficiente y podían «paquetearse». La derrota de Anaya, que no cesa de rematarse en sonrisa paralizada, es la de la mercadotecnia electoral. Al electorado no lo movió la fantasía de que el Palacio Nacional fuera Silicon Valley –los murales de Diego Rivera serían *vintage*– ni tampoco que quien acusara de «populista» al candidato de las izquierdas, se decidiera al final por repartir dinero a cambio de sufragios.

Veo los ojos detenidos de Anaya, su sonrisa, el horror de su esposa, sus hijos usados como accesorios escénicos (*props*) y pienso que no existe un futuro comprador del producto llamado «Presidente». El objetivo (*target*) a quien va dirigido un anuncio no contiene la idea de lo público, ni de lo histórico, nisiquiera de lo democrático. No hay Patria en el *target*. Y, por eso, no se le puede ofrecer a cada ciudadano un producto que lo satisfaga. El deseo de lo público es tan sigiloso como que le vaya mucho mejor a los demás.

En la mesa del Salón Corona no se habla de Meade, aunque quizá se haya hecho antes de que yo llegara. Lo que pienso es que los priistas han sido declarados muertos tantas veces antes y resurgen armados con una nueva argucia. Con Peña Nieto fue el uso indiscriminado de la televisión. Esta vez urdieron un ardid extremo: presentar a su candidato como «externo» al Partido. Lo que veían como un argumento positivo —«ha tenido puestos de autoridad hacendaria con el PRI y el PAN»— se leyó como una doble responsabilidad en los desastres de corrupción con el erario público. No importaba realmente que no militara en partido alguno, sino su adscripción al partido inamovible y feroz de los últimos treinta años: los economistas neoliberales. Así que, en plata, nunca importó si Meade decía que no era del Partido o le pidió a este «háganme suyo». Su militancia en el circuito de las finanzas de los contratos asignados, de las estafas que usaron el presupuesto para desviar dinero, de la compra de lo extravagante con recursos fiscales —la Casa Blanca del matrimonio Peña-Gaviota; el avión presidencial «que no tiene ni Obama», según la frase de López Obrador; las cuentas en paraísos fiscales de los gobernadores del PRI que se robaron, casi caricaturescos, las medicinas para los niños con cáncer—, hicieron de Meade el personaje que cargó con todo el desprestigio del Partido al cual dijo no pertenecer.

Entre las cervezas de barril, las habas enchiladas, y las aguas profundas del Salón Corona, ensayo un Breviario de Cultura Priista, que podría titularse «Prístino Priismo» o «Lo normal de nuestro declive» o «Se me acabó la fuerza de mi mano izquierda». Lo escribo, no en una servilleta como José Alfredo Jiménez y Chavela Vargas, pero sí oyendo, detrás del vocerío de los autoconvocados y el de la televisión que muestra encuestas de salida y resultados oficiales preliminares, la de:

> Porque soy como soy
> sin razón me desprecian
> porque vivo entre gente que dicen
> que no es de tu altura.

Prístino Priismo

(Manual del Perfecto PRIennial)

- Les venimos ofreciendo lo que no es visible ni palpable. Y es que lo único que tenemos para ofrecerles es la idea de que tenemos algo que ofrecerles. Una vez que caigan en la cuenta, el final será sólo cuestión de días, dos sexenios o setenta años.

- La política no es una ideología, ni siquiera un grupo de intereses. Es una práctica por la práctica misma. El poder se gana, no para hacer cosas, sino para no perderlo.

- En política, escuchar a los otros es una muestra de hasta dónde somos compasivos.

- Altas finanzas es algo que comienza cuando tu jefe compra ilegalmente una empresa y tú terminas pagándola.

- Alta política es algo que empieza cuando tu jefe desaparece pueblos enteros y tú acabas presidiendo la comisión de la verdad.

- Si tienes una acusación penal, siempre hay que poder hablar con el jefe o con el amigo. Si el jefe y el amigo no son la misma persona, estás en serios problemas.

- En México sólo hay prófugos de la opinión pública, nunca de la justicia.

- En política se habla en plural para esconder tus malas decisiones. Nos escondemos entre la multitud y, de pronto, alguien saca la pistola. La violencia no es lo opuesto a la política, sino su premisa.

- Uno se desvela en las oficinas de Gobierno, no por «mística», sino para cobrar las horas extras.

- Siempre hay que matar al enemigo en la cuna. Sólo así evitamos el derramamiento de sangre.

- La política es dejar que la gente luche para quedarse como estaba. A eso le llaman «victoria» y se aplacan por un rato.

- Los que se manifiestan quieren hablar o, mejor, que alguien los escuche. Que se les preste atención. Después de tanto tiempo de esperar ya ni las demandas les importan, ya ni quejarse. Sólo que alguien los reciba y les ponga un sello oficial de recibido.

- Hacemos la política en los pueblos: traemos al candidato a la presidencia y él siente que uno maneja el apoyo de las bases, y los de aquí, pues sienten que uno tiene poder con los del centro.

- Ya no mato a quien no conozco. Eso era en la Revolución (o en la Guerra Cristera, aplíquese según el caso). Ahora sólo nos matamos entre clientes preferentes.

- La política es como una pelea de gallos: sólo uno gana y el otro se muere. Quien le apostó al perdedor tiene que pagar. Y nosotros nunca perdemos y, si perdemos, no pagamos.

- En política uno nunca ofrece; debes esperar a que te pidan. La gente siempre está dispuesta a apoyarte por mucho menos de lo que te imaginas.

- Se les da, no lo que piden, sino lo que queramos darles. Así nunca ganan, pero siguen leales. Es el secreto de este país: la esperanza.

- La Constitución es un anhelo. Era lo que soñaban los abogados que acompañaban a los revolucionarios. La ley se convirtió en lo que debiera ser el país, pero no en lo que es. Por eso vivimos violando la ley. Por eso creemos que hacer una nueva ley es hacer un nuevo país.

- El «realismo político» es aceptar públicamente que estamos haciendo algo que nos llena de vergüenza. Toda nuestra culpa es de origen constitucional.

- Pero inventamos una cosa que ayuda. En el lado positivo se llama «el favor». Funciona así: si todo no está disponible para todos, al menos que lo esté para mis amigos. En el lado negativo es llamar a todos los demás «delincuentes».

- Los puestos públicos son cuevas: sólo se puede entrar agachado.

- Un gobierno no produce nada, salvo antigüedad.

- La Revolución mexicana elaboró una mitología de la derrota: hizo héroes a los líderes traicionados y villanos a los que sobrevivieron para gobernar. Fue una movida astuta: diseminó, generación tras generación, el aprecio por la derrota y la desconfianza hacia el triunfo.

- ¿Para qué todo? Para el aplauso, las porras, los vivas, el paso a los libros de historia. Ese afecto anónimo que no es comprable ni con el amor del bueno. Todo eso se agradece con el envés de la mano, porque si muestras la palma es que te estás despidiendo. Y nosotros nunca nos despedimos porque nunca nos vamos. Siempre regresamos aunque nunca nos hayamos ido.

- El papel de un político es dar esperanzas. El papel de las multitudes es creer en él. Ellas no obtendrán nada y yo jamás ejerceré, realmente, el poder. Yo estoy muerto. Ellas están desahuciadas. Las dos columnas de México son la fe y el desengaño.

- En México las porras no comenzaron en el deporte sino en la Cámara de Diputados.

- Tras una historia rica en desacuerdos y muchos muertos, entre bandos y en el mismo bando, toda discrepancia es vivida como una crisis. Cada vez que alguien disiente el país siente irse a la deriva. No en balde somos el país de los monolitos.

- Un loco te secuestra para curarte de unas heridas inexistentes. Buena definición de la política, ¿no?

- La política mexicana le atribuye un sabor a su actividad: escondida entre el jamón seboso, la mayonesa caduca y el chile en vinagre, la torta fue el vínculo del partido con los sindicatos, los barrios, los campesinos, los indígenas. La torta dura diez segundos, mientras que los votos perduran sexenios. ¿Qué se le va a hacer? La torta es el regalo, el voto es la reciprocidad posible en un país muerto de hambre.

- Una huelga puede ser declarada inexistente. Ahí están los obreros en huelga, comiendo tortillas con arroz y, de pronto, ya son fantasmas. Ahora deben luchar, no por sus demandas, sino contra su evanescencia. Terminarán en prisión y se da por sentado que serán olvidados.

- Ganarle una vez al señor presidente es suerte. Ganarle dos veces es soberbia.

- En el primer año, el presidente es un enigma. En el segundo es un dios. En el último es el culpable.

- Un presidente visionario siempre va a sacar el ejército a las calles. No podemos existir sin enemigos. Las facciones, que si villistas o zapatistas. Luego, fanáticos henriquistas y los comunistas. Después, los estudiantes. Más adelante, los ciudadanos que protestan. Y los que no obedecen. Y los que no están haciendo nada. La guerrilla, en los setenta, el crimen organizado ahora. Un día vamos a quedarnos solos. ¿Y qué haremos entonces?

Estoy convencido de que *El laberinto de la soledad* de Octavio Paz no es un ensayo sobre «lo mexicano» sino sobre el PRI. El autor jamás deslindó los dos porque él mismo estaba hundido en esa mentalidad donde México es tan singular que merece ser lo único en que pueden pensar los mexicanos. Cuando digo «mentalidad» me refiero a la inercia de lo trivial. No existe, por supuesto, «lo mexicano» sino un modo de dominación. Roger Bartra lo advirtió así en su respuesta a Paz, *La jaula de la melancolía*, que este año cumple 30 años de publicada: «La definición de "lo mexicano" es más bien una descripción de la forma en cómo es dominado y, sobre todo, de la manera en que es legitimada la explotación».

La confusión entre el PRI y ser mexicano no es sólo el uso de los colores de la bandera nacional. Es la mitología del sometimiento, que viene de Samuel Ramos y José Vasconcelos: el relajo, la desidia, el fatalismo, el complejo de inferioridad, el resentimiento, el valemadrismo, el sentimentalismo, caben en el uso de las máscaras, la Conquista española narrada como complejo freudiano –y su redención en la Virgen de Guadalupe–, y en burlarse de la muerte. Apunta Bartra: «La indiferencia ante la muerte del mexicano es un mito que tiene dos fuentes: la fatalidad religiosa que auspicia la vida miserable y el desprecio de los poderosos por la vida de los trabajadores». Toda la construcción de este peculiar «mexicano» abona a la obediencia indisciplinada, a la apatía miedosa, al desgano predestinado y, últimamente, al «todos son iguales» y la imposibilidad de la política, el futuro y el valor de las palabras. Morirse calladitos, es la demostración del desaliento sometido.

La mentalidad priista se nutre, además de «lo mexicano», de una idea de sociedad indivisible con la que se topó. Con la Independencia y el caótico siglo XIX, la élite fue construyendo una idea del Estado que no era, como se suponía, un pacto entre ciudadanos sino un orden corporativo hecho de distintos grupos que se iban acomodando. Así, los ciudadanos no eran iguales entre sí a la hora de votar ni ante la ley, sino en función del lugar jerárquico que ocupaban. El Señor Presidente, antes que simplemente un tirano sexenal, era el sujeto con la mejor posición jerárquica para ordenar a los demás y adjudicar decisiones y recursos. Una de las ventajas que tenía su posición era la de tener un horizonte de visibilidad más grande que el resto, por mirarlo desde la cima. ¿Cuántas veces no escuchamos que el Partido o el presidente velaban por el «interés nacional» cuando en realidad perjudicaban a la mayoría? Había algo de místico, de adivinación, en el nuevo proyecto de cada sexenio que no tenía jamás que ver con los intereses de los ciudadanos, sino con un plan maestro para dejar de ser un país pobre o subdesarrollado o no modernizado. Ese plan venía, no del presidente, sino de su otro cuerpo, trepado en la cúspide y contemplando la geografía patria.

El presidencialismo priista cambiaba cada seis años por decisión del presidente, quien designaba a su sucesor. Este llamado «dedazo» permanecía en secreto hasta que se cumplían los tiempos legales y ocurría, entonces, el «destape». Se abría entonces una recombinación de elementos que buscaban un nuevo acomodo. Como el Partido era único, los perdedores podían aguantar hasta la próxima recombinación. La política mexicana conjuga un solo verbo y no es, como decía Martín Luis Guzmán, «madrugar», sino «acomodarse». Se llevaban a cabo, entonces, unas elecciones que sólo eran un plebiscito para refrendar la decisión del presidente. En México nunca hemos tenido ciudadanos, sólo votantes. Éstos iban a las urnas a ratificar su pertenencia al Estado. Esa pertenencia es otro pilar de la mentalidad priista: somos producto de una revolución cuyos beneficios sólo son accesibles dentro del Partido. Así, la estructura del Estado, de su burocracia gubernamental, sindical –los sindicatos son su base corporativa– eran los puestos de trabajo y poder dentro de la jerarquía orgánica. Pero se votaba también por la idea que el argentino

Domingo Sarmiento había descrito en el *Facundo*: «el gobierno es el consentimiento no premeditado que una nación da a un hecho permanente». Es decir, el Partido fue votado durante todo el posrevolucionario siglo xx porque era la fuente de lo que ya estaba.

Esta idea de que el Estado antecede a la sociedad la vemos todavía cuando los expertos califican a las protestas contra un plan de desarrollo como «obstáculos» a esa movilidad casi mística: el Estado quiere ir hacia adelante pero el pueblo malo –el que se resiste– no lo deja. Por su parte, siendo el Estado monolítico y jerárquico, cualquier oposición, aunque fuera sólo en el lenguaje, se le veía como un ataque al régimen. El régimen, más que una forma peculiar de distribución del poder, era un principio. Ésta es una racionalidad de origen inquisitorial. Todo el que protestaba debía hacerlo dentro de los cauces «institucionales», es decir, dentro del Partido e instituciones y esperando, como toda la burocracia, acomodo dentro del Estado. A los pobres, a los indígenas, a las mujeres, se les buscaba «incorporar» a ese gran cuerpo social encabezado por el presidente en turno y guiado por los planes del Partido. No hay revolución sino dentro de este principio de orden. Y la revolución es el pago de horas extras, los uniformes del equipo de futbol de la oficina, el carnet para la clínica de salud, el vale de leche para los niños. Los derechos no son ejercibles porque están en la ley, sino que deben ganarse con lealtad electoral, en el barrio, el sindicato o el ejido. No hay ciudadanos, sólo súbditos. La cortesana es la única política rentable. Fuera de la corte, hay sólo ilusiones, «utopías regresivas», marginalidad y derrota. La revolución del PRI es un intercambio de las demandas sociales por el altruismo del patrón. Su gran idea es que el Estado antecede a la sociedad y que está manejado desde siempre, con errores y desatinos momentáneos, por una clase que tiene el

poder de adivinar qué es lo mejor para el país. En otras manos
–se piensa– vendría la debacle.

Lo que quedó fuera del Partido fue sujeto de una forma
de dominación cultural: la oposición «dividía» al país, como si
se tratara de un pastel que nunca alcanza. Las ideas fuera del
Partido eran «extranjerizantes», es decir, venían de la Cuba
revolucionaria, y no correspondían con la revolución nacional
de 1917 que se veía siempre como «incumplida» en sus metas
o «desviada» por algunos gobernadores, funcionarios menores,
pero que contenía todavía la fuerza de una Constitución que era
una aspiración para el futuro. Llena de derechos que jamás se
cumplían, lo «constitucional» se llenó de mitologías. Sus héroes
derrotados eran quienes querían forzar su cumplimiento. La
Constitución, como texto místico, fue modificada hasta hacerla contradictoria con la Revolución mexicana, pero guardó su
aura de lo deseable, de ese país que, obedeciendo al Estado indivisible, funcionaría si tan sólo «todos hacen lo que tienen que
hacer». No era por tanto un pacto sino un edificio. Su metáfora
arquitectónica fue el Monumento a la Revolución. Originalmente pensado como la cúpula de un Capitolio por la dictadura de
Porfirio Díaz, la construcción iba a simular lo que en la realidad
no existía, una cámara de representantes. Pasada la Revolución,
los diputados y los jueces no fueron poderes autónomos sino
complementarios del presidente y del Partido. Y la cúpula fue
levantada como monumento, ahora museo con torniquetes.

Hoy, con distintos partidos, ahí donde existe Estado –o los
sustitutos ilegales– hay mentalidad priista. La idea de que todos tienen que irse «incorporando» a él, acomodarse en sus
estrechas posibilidades, demostrarle lealtad y sumisión a la
Unidad, se completa con ese otro diseño de que retarlo es dejar
de ser mexicano porque esa esencia es de quien aguanta por valentía, es escéptico por pragmatismo, indiferente hasta con la
propia muerte. Por eso, cuando algunos hablaron durante el final

de las campañas electorales de la «restauración autoritaria» –la impunidad a cielo abierto de la corrupción y el asesinato por cientos de miles desde el poder– creo que también deberían pensar en ese laberinto priista. En la celda compartida, nuestra inercia de lo trivial. Es algo que hoy, en esta plaza, debe comenzar a cambiarse: crear un país donde ser mexicanos no implique el sometimiento, la resignación, el relajo despolitizado.

—■—

Al salir de nuevo hacia la plancha del Zócalo, testifico otro hecho insólito: la sonrisa de los policías. Adustos, cuando no furibundos, los tiras nunca están contentos. Pero ahora sí y son casi cordiales. Saben que nadie les ordenará cargar contra estos manifestantes que, salvo la señora vestida de calaca-catrina que pide «justicia», venimos a encontranos para saber qué sentir. Desde el 20 de noviembre de 2014, cuando la policía nos desalojó con violencia de aquí, no había sentido la celebración de la democracia ciudadana rodeado de tanta gente: la que se manifiesta para que se respete su derecho a manifestarse. Así había sido la marcha por la presentación de los 43 estudiantes desaparecidos por una complicidad policía-ejército-narcos: alegre, a pesar del pesar. Hasta que nos embistieron desde atrás del Palacio Nacional. Ahora no hay pesar –bueno, nada más el del país entero, naufragando, roto–, pero hay algo que no alcanza a fluir. Tenemos la fiesta, el alarido, el dejarse ir, atorados. Supongo que se debe a que tenemos desconfianza aprendida de los resultados anticipados, aunque provengan del aparato de los partidos y de sus candidatos aceptando la derrota. Pero también creo que, en medio de la deriva que es la Patria, dejarse llevar por el fluir parece un tanto arriesgado. Si ya estamos en el naufragio, ¿para qué potenciarlo con una celebración de concierto de reguetón?

Estamos, más bien, a la espera del presidente electo.

Porque si Godot no hubiera muerto... todavía lo esperarían

Una señora que vino desde Ecatepec impulsada por las encuestas de salida, me dice con regocijo:

—Ahora sí, el Fox se va a quedar sin su pensión.

El tema de la corrupción es aquí, entre la gente, algo más que las pensiones de por vida a los expresidentes ya de por sí enriquecidos por sus negocios desde el poder, o si los gobernadores de Veracruz y Chihuahua privatizaron el presupuesto y lo depositaron en sus cuentas de paraísos fiscales en Panamá. Es el asunto que el presidente Peña Nieto jamás entendió. Al explicar la improbable casa de lujo que les habían regalado, a él y a su esposa, los dueños de los más jugosos contratos de la obra pública contratada por su gobierno, el presidente Peña Nieto puso en la mesa dos cuestiones que resultaron banales: no tengo por qué dar explicaciones y la transacción es legal.

El problema es que la corrupción es sobre la ilegitimidad de alguien o de una acción. No sólo es si se puede legalmente hacer, sino si se debe hacer. Es un asunto de moralidad. Eso lo entendió Andrés Manuel y propuso otro ángulo, mucho más cercano a los ciudadanos, en el tema de la corrupción: no es sólo de leyes, fiscalías independientes, organismos de revisión, sino de integridad. Quien roba dinero público no lo hace por necesidad ni porque la ley que lo castiga no sea lo suficientemente dura y costosa. No importa si la riqueza de la corrupción es legal, es ilegítima.

Para entender el hartazgo ante la corrupción del régimen priista-panista, hay que desmenuzar lo que entendemos por ilegítimo. En castellano, lo «corrupto» es el vicio, también el moho, el hongo y la descomposición. Es lo que muda de su sustancia originaria. Se desfigura. En lo político, es abusar de un cargo para hacer lo que no era su deber.

Se es corrupto porque se es desleal a las reglas que rigen su cargo. El escándalo que los treinta años de neoliberalismo transmitieron fue cómo el Estado se desnaturalizó en un instrumento que beneficiaba sólo intereses privados. El poder como un capricho entre familiares, esposas, compadres, cómplices. Los contratos de obra pública como negocios millonarios que pagamos todos para beneficio de los que, ya de por sí, no podrían gastar ni en tres generaciones el dinero que detentan. López Obrador tomó al nuevo aeropuerto internacional en Texcoco como su campo de batalla: no se necesita, nos está costando, a siete años de que se termine –más de lo anunciado–, se hunde porque está en medio de la zona lacustre del Valle de México, y han usado los fondos de nuestras pensiones para financiarlo. La riqueza que de él obtendrá, entre otros, el hombre más rico nacido en México, Carlos Slim, será ilegítima, a costa del sufrimiento de la mayoría.

Hoy hablamos de los gobernadores rapaces que se fugaron con el presupuesto de programas sociales, incluidos los de atención a niños con cáncer. Del intercambio de sobornos entre gobernantes y empresarios. Y de la extorsión en la compra del voto. La señora de Ecatepec me platica cómo el candidato del PRI en el Estado de México amenazó a los votantes:

—Lo dijo suavecito, pero de todos modos nos dio a entender que si no votábamos por ellos nos íbamos a quedar sin programas sociales. Del Mazo dijo: «Nadie va a quitarles los programas sociales porque yo los voy a defender».

En la venta del voto hay soborno: un intercambio desleal de cosas por boletas electorales, en un país en el que de nada le han servido las urnas a los más pobres. Pero en el condicionamiento de programas sociales, de derechos, hay extorsión. El PRI se disfraza de secuestrador del erario.

Y en cada elección se denuncia esa ilegitimidad y la autoridad decide sobre la legalidad de la misma, pero no resuelve el fondo: lo adulterado, lo espurio de una acción así. Como en el caso de la Casa Blanca del presidente Peña Nieto y su esposa, lo legal puede ser ilegítimo. Por eso, para combatir la corrupción no basta decir que se aplique la ley, hay que exigir integridad de las autoridades, es decir, que no desnaturalicen su deber.

«En México las leyes tienen la vocación del mito. Los ciudadanos, de héroes –pienso, pero ya no se lo digo a la señora que se ha quedado conversando con otra cerca del asta bandera».

Aquí mismo, hace cincuenta años, los alegres jóvenes del 68 revolucionaron las conciencias en defensa de una Constitución que era más una aspiración colectiva que una realidad práctica. En lugar de la bandera nacional, arriaron una rojinegra. El presidente Díaz Ordaz les aplicó la ley de uso de símbolos patrios, los acusó de «agraviar» el escudo, a la nación, a las instituciones. Pero nada de lo que hizo después –ocupar las universidades en huelga con el ejército y masacrar a los estudiantes desarmados en Tlatelolco– fue legítimo. A partir de ese año, el país se movió entre la impunidad de los poderosos y la humillación de los que no tenemos poder. En medio quedó, abandonada, la idea de la justicia. Lo honesto, lo justo, lo equilibrado, no guarda relación alguna con la ley. Las instituciones se burlan de los pobres y de su sentido común cuando se indignan porque los defraudadores no pisan la cárcel jamás y las prisiones se llenan de jóvenes que cometieron delitos para sobrevivir. Cuando se clama que «se aplicará la ley», son los inocentes los que tiemblan.

Hacia el final de la campaña, López Obrador se enfrenta con la riqueza ilegítima. Un organismo cuyos integrantes no son públicos, llamado «Consejo Mexicano de Negocios», manda comprar un desplegado en los diarios, titulado «Así no», que señala: «Las empresas de este Consejo emplean de manera directa a más de millón y medio de jefes de familias mexicanas e invierten miles de millones de dólares en el país, lo cual contribuye al crecimiento de la economía, de la competitividad y el empleo. En conjunto, todas las empresas privadas generan 9 de cada diez empleos formales. Las condiciones de confianza y certeza jurídica son fundamentales para promover el ahorro, la inversión, el crecimiento económico, y el empleo. La confianza se cultiva. No se dicta ni se obliga. Las expresiones y descalificaciones infundadas no ayudan a generarla.»

De inmediato, la campaña del lopezobradorismo señala a algunos empresarios como responsables del desplegado sin firma: el dueño de las minas (Grupo México), el de la tienda Palacio de Hierro y del Instituto Tecnológico Autónomo de México (ITAM), el dueño de la línea Aeroméxico, el distribuidor de Coca Cola, el que obtuvo los contratos del gobierno para vender sus enlatados Herdez, y el productor de sartenes y ollas Vasconia.

–No estamos contra los empresarios –dice López Obrador– pero no vamos a dejar de señalar a quienes, al amparo del poder, beneficiados por la corrupción, detentan hoy fortunas mal habidas.

De nuevo, es lo ilegítimo lo que se mira en el fondo.

Hay otra corrupción que vivimos a diario todos los que nos juntamos hoy a celebrar en el Zócalo. Me lo explica así Ramiro Sinujo, que estudia mecánica en el Politécnico Nacional:

—La gente que está en puestos de dirección, la que destaca, no es por su talento sino por sus lealtades.

Nos hemos quedado platicando, en espera de Andrés, al lado de un vendedor de «mangas» de plástico para la lluvia. Nos miramos dudando, volteando al cielo, calculando si era oportuno o no comprar. Y nos hemos puesto a charlar sobre las opciones que un joven con educación superior tiene en el país de las palancas, las charolas, las «recomendaciones».

Esa es la corrupción más próxima: la de un país que no premia el mérito y las aptitudes, sino la obediencia y la complicidad. Corrupción es también el abandono de una profesión —político, periodista, empresario, profesionista, juez— que la sociedad tiene como intrínsecamente valiosa por los fines con los que está socialmente legitimada. Nos hemos llenado de periodistas que mienten, de médicos que enferman, de jueces que son sobornables. Un periodista debe ser creíble, un médico debe curar, un juez debe ser imparcial. Eso es lo socialmente valioso de sus profesiones y, por lo tanto, si se desnaturalizan, se corrompen. En la cultura de la corrupción se busca el dinero, el poder, el reconocimiento (luego hablamos de los premios literarios) en el exterior de las profesiones y sus legitimidades. Se ganan contratos, premios, puestos de trabajo por intercambios de favores, por lo rastrero, por complicidad en el delito compartido.

Nada de eso tiene que ver con la sustancia misma de ser médico, periodista, juez o abogado o, como Ramiro aquí, ingeniero mecánico, experto en prensas metalúrgicas. El exterior debiera permanecer ajeno a la naturaleza de su actividad profesional pero, lamentablemente, no lo es.

—Todo es muy político —dice, y mientras lo dice está usando el término peyorativo, no el del interés legítimo en lo público, sino en el favor, la discrecionalidad, el sigilo, el apechugar la humillación, el esperar la recompensa.

49

La confianza en el logro se ha roto. Quien tiene dinero es porque lo robó. Quien tiene un puesto debe responder a la pregunta: ¿Con quién se acostó para llegar ahí? Detrás de todo logro muy rara vez existe el mérito y la capacidad. Lo común es la complicidad y el arreglo en la tenebra del intercambio de favores. La idea del palacio convertido en burdel; el poder como prostitución. Casi ninguna ganancia, conquista o fruto parece legítimo. El mérito, el talento, el esfuerzo rara vez son recompensados. Lo que priva es el trueque de las mutuas protecciones.

En Ramiro existe la idea de que un cambio en el país sería necesariamente en la dirección del reconocimiento del talento, pero lo urgente –le respondo– es atacar la riqueza ilegítima, la de la simbiosis entre empresarios y políticos que, como los célebres casos de Miguel Alemán y Carlos Hank González, son la misma persona.

«Así como Juárez separó a la Iglesia del Estado –ha dicho López Obrador–, ahora, en la Cuarta Transformación, habrá que separar a los empresarios del aparato del Estado».

Hay dos tipos de ética en el ejercicio de la autoridad pública: la de convicción –actuar bajo principios– y la de la responsabilidad –la que toma en cuenta las consecuencias de sus decisiones y actos. Ninguna de ellas tiene que ver con las leyes. Lo que hemos visto es una reedición de la ley como mito: cada vez se imponen más restricciones al actuar de los gobernantes y cada vez se hacen más rateros. Y es que hay muchas cosas que la opinión pública le pide a los políticos y que no son leyes: «cumplir sus promesas; no tener dietas exageradas; no gastar fondos públicos en lujos; no favorecer a compañeros de su partido o a sus amigos; que no se insulten; que no mientan; que no antepongan intereses privados al interés público; cosas que hacen y que no son delitos». Lo entrecomillado no es un discurso de AMLO –el de «no mentir, no robar, no traicionar»–, sino de Max Weber en 1919. ¿Debiéramos pedir, entonces, a casi un siglo del texto de Weber, un «código de ética» para los políticos? Creo que ya existe y se llama opinión pública, ese clima que ninguna encuesta alcanza a retratar.

La impunidad de los poderosos y la indefensión de los sin poder, aparece cada cuanto en este Zócalo: los muñecos de Salinas de Gortari con cola y orejas de rata dieron paso a los de la esposa del presidente Vicente Fox y sus tres toallas de 400 dólares. Se ha gritado aquí «Fulano de Tal (coloque el nombre del político o empresario del momento) a Almoloya (la cárcel de máxima seguridad)». No es un deseo de venganza pero sí de justicia, de ver a quien ha desvirtuado su deber como autoridad, en prisión. La indignación es una fuerza moral. Sin ella, no existe el afán de enmendarles la plana a los que lo pueden todo.

«La corrupción», había dicho el presidente Peña Nieto, «es un asunto cultural». Con ello quiso relativizar las diferencias entre el robo de un pan con el de la industria petrolera o los contratos de obras públicas. Un viejo refrán priista era «no me des, ponme donde hay». Ante los ojos del priismo, el tomar el botín no es un asunto de moral ni de leyes que lo castiguen, sino de si se tiene la oportunidad. Delante del presupuesto, según esta visión, todos incurriríamos en el robo. Esta mirada cínica a las intenciones de los demás se vinculó en esta campaña con el «todos son iguales». Pero no lo son. Al menos para los que hasta aquí llegan a celebrar la victoria. Cada vez que se hablaba de los escándalos de corrupción del PRI y del PAN, se trataba de involucrar en algo a López Obrador: ¿de qué vive?, ¿por qué sus hijos tienen un departamento en Copilco? Pero en ese tema, nada podía decirse. Era el jefe de Gobierno de la Ciudad de México que transitaba en un Tsuru. Era el que, unos días antes de esta elección, recibió a un canal de televisión en una casa donde –como en cualquier departamento de interés social–

los muebles se apretujan y se camina esquivándolos, haciendo contorsiones.

La idea de que «todos son iguales» era como la frase que los contrahechos del circo de la película de Tod Browning, *Freaks*, le dicen al recién llegado: «One of us», uno de nosotros. Dante, en la *Divina Comedia*, separó a los ladrones. Unos, los rateros, los que te roban tus cosas, iban directo a un infierno donde hervían en aceite. Los otros, los *barattieri*, son los que comercian con los cargos públicos, los jueces que venden sus sentencias, los poderosos que traicionan la fe de sus gobernados. Para ellos, Dante reservó un pozo en el que circulan frenéticamente atados a lomos de serpientes. Los dos merecen castigo, pero no en el mismo lugar.

La consigna que brota de vez en vez en este Zócalo es: «Pre-si-dente». Es el lema que siguió al «no estás solo», de las jornadas zapatistas del 2001, y del desafuero y los fraudes contra Andrés Manuel en los siguientes años. Es una consigna que registra una estatura distinta del hombre común que supera todos los obstáculos. Se pronuncia para hacer aparecer, no el «presidencialismo» –ese régimen donde los ciudadanos eligen al presidente y no el Congreso pero que los críticos asimilan como «culto a la personalidad»–, sino el poder soberano.

–El pueblo votó y Obrador ganó –pasa una muchacha con el puño en alto como *dejá vú* de otros tantos trechos del camino.

Lo que me sigue sorprendiendo es que la gente, después de tanto fraude, compra de votos, inhabilitación de sus derechos, siga pensando que el voto es un poder. Es ese poder extraño que sólo existe para ser entregado. Se vota por un representante, pero él no es quien tiene el origen de la legitimidad. Ese sólo emerge de los sufragios. El representante tampoco es todopoderoso. Debe responder a las expectativas de lo que hoy es una mayoría de más de la mitad de quienes fueron a votar. ¿Por qué no se ha minado todavía la idea del voto como poder? ¿Por qué no sirvieron los llamados a abstenerse este domingo? ¿Por qué, al final, no «todos son iguales»?

Ha empezado a llover, como llueve en estos veranos. Nos refugiamos en los portales que nunca alcanzan para cubrirnos a todos. Dos mujeres se quedan frente a nosotros. Se miran y se besan. Fantaseo que no se conocían antes de venir hasta aquí y que se han besado porque es el Zócalo y está lloviendo y es la noche que ganó la izquierda en México. Pero a lo mejor vinieron juntas y sólo se besan. Vuelve Pellicer:

> Y entre las carcajadas de la lluvia
> y la voluntad del atardecer
> me digo alegre y humilde
> saber que uno no sabe
> es comenzar a saber.

En los portales del Zócalo la gente se abre en torno a una señora con un delantal y un diente pintado de negro, fingiendo estar chimuela. Debe ser una actriz callejera. Su discurso saca sonrisas mojadas:

—Les voy a contar mi historia. Seguramente me han visto por ahí. Yo creo que a algunos de ustedes me los encuentro por aquí desde hace años. Por la época en que me enamoré de un ranchero de bigote y bototas y sombrero. Estaba altote, hablaba recio, y me prometió que me iba a sacar de pobre. Pero, cuando yo ya estaba bien encandilada con él, resultó que era casado y que su esposa y las hijas de ella eran como, hagan de cuenta, las de la Cenicienta. Se sentían de la realeza, bien aristócratas y me despreciaron por pobre. Andrés, mi vecino, me decía: «Ya déjalo, nomás te está engañando. Nunca se va a divorciar para casarse contigo». Pero yo a este Andrés no le hacía caso. Pero tenía razón.

Al poco tiempo, el ranchero se olvidó de mí y hasta me quería hablar en inglés, como el Ratón Vaquero. Me rompió el corazón. El ranchero me dejó en la casa a un ratero. A un asesino que decía que era militar, pero me maltrató, abusó de mí. Me golpeaba a diario. Mi vecino Andrés me decía: «Sácalo de tu casa. Yo te ayudo». Pero me aguanté hasta que se fue y me dejó sin nada, con puros moretones. Entonces llegó el actor. Lo conocí por la televisión y me enamoré de él. Otra vez, Andrés me dijo: «Ese señor no es real, sólo es de la televisión». Pero estaba muy guapo y hacía juego con mi colchón. Así que le escribí una carta para que viniera aquí, donde yo vivo. Pero ni se paró por aquí. Nunca lo vi. Al poco tiempo me embargaron la casa. El actor la había vendido. Luego supe que él y su esposa tenían una casota que les habían regalado. En Las Lomas. Desconsolada, sin nada que perder, ahora estoy a punto de irme a vivir a casa de Andrés, que vive aquí en la esquina. Es pobre, igual que yo, y su casa es hasta más chica que la mía, pero no tengo otro lugar a donde ir. Andrés siempre me ha dicho las cosas como son, aunque yo nunca le hiciera caso. Es un buen hombre. Le creo cuando me promete cosas. ¡Y saben qué? Yo sí quiero creer que no es como los demás. Y aquí estamos esperándolo, ¿verdad, compañeros?

La improvisada audiencia se ríe y le aplaude. La señora –cuyo nombre es «Lady Bondojo»– hace reverencias y alguno se toma *selfies* con ella. Luego, pasa a recoger en la bolsa de su delantal lo que guste cooperar. No muchos lo hacen. Se persigna con la última moneda de diez pesos, se acomoda el cabello que hasta ahora noto que es peluca, y se arriesga hacia el interior del chubasco. Mientras escampa, transcurre la espera con las luces de la plaza que chapotean y se escurren de naranja.

Reviso Twitter en espera de alguna respuesta de mi amigo, aquel que no sabía qué sentir. Me gustaría que estuvieras aquí y lo sentiríamos juntos, a partir del pensar. Pero lo que encuentro es una especie de indignación del otro lado, del que no votó por López Obrador. Desde el hijo del expresidente Calderón que dice que, ahora que está en Rusia por el Mundial de Futbol, prefiere quedarse ahí –es decir que la dictadura de Putin le parece preferible al nuevo gobierno electo– hasta una muchacha que, afligida, se filma, en la histeria de la *selfie*, llorando:

–¡Vamos a ser Venezuela! ¡Qué vamos a hacer! ¡Todos vamos a ser pobres! –dice, y lo que siento no es coraje sino un deber de explicarle que nada de eso es cierto.

Pero, ¿por dónde empezar? Sé que hay muchos de mis habituales en Twitter cuyas razones para votar no eran seguir apoyando al régimen del PRI, sino que todas eran contra López Obrador. No son ignorantes ni están desinformados, sino que para ellos los principales rasgos de la campaña les resultan indeseables. El economista Carlos Elizondo lo dejó claro en un artículo peculiarmente cándido: «En un país tan desigual como el nuestro, un triunfo de la izquierda es amenazante para quienes estamos en los deciles superiores del ingreso. Una agenda redistributiva implica quitarles a unos para darles a otros». Se protegen los propios privilegios que no son vistos como injustos –precisamente en un país tan desigual– sino como fruto del esfuerzo personal. Del mérito, en el país de la corrupción del reconocimiento. Son los que ven cualquier programa social del Estado como «clientelar» o, de plano, «tirar el dinero en un barril sin fondo». Son los que, con Reagan, Thatcher y Pinochet, creen que se debe castigar a los pobres para que se esfuercen más y premiar a los ricos por su esfuerzo y el enorme riesgo de invetir. Son, también, los que aplaudieron, sin comprender su dimensión, la «guerra contra el crimen organizado» de Felipe del Sagrado Corazón de Jesús Calderón porque asesinaba a quienes habían dejado de tener derecho a la justicia, extirpaba «el tumor», «ponía en cintura a los malosos». Creen, entonces, que la pobreza es voluntaria y que existen las personas «malas» –a quienes es mejor y más práctico ejecutar en las calles– y no, simplemente, acciones malas. Son los que, ante la idea de que el país no solamente es de ellos, prefieren irse.

Hay un menosprecio hacia los representados por López Obrador: los pobres, los morenos, los que no tienen oportunidades de sobrevivir si no es por el delito. Ellos nunca lo reconocerían, pero son racistas en un país en el que eso significa, también, ser clasistas. Hasta el nombre del partido político que hoy ganó la Presidencia de la República, Morena, es atacado por su reivindicación del color de piel y –dicen algunos «deciles superiores»– por su referencia a la Virgen de Guadalupe. En el inicio de la campaña, en febrero, el líder del PRI se atrevió a decir:

–Hay algunos que van huyendo a Morena, son los prietos y a esos prietos, desde aquí (Tabasco) les decimos: les vamos a demostrar que son prietos y además ya no aprietan.

Apenas en junio del año pasado, el Instituto Nacional de Estadística y Geografía (INEGI) presentó los resultados que miden la relación entre el color de la piel y el lugar que uno ocupa en la sociedad mexicana. De inmediato surgieron los que estuvieron en contra de siquiera plantear la pregunta: ¿somos o no un país racista? No hay que hablarlo porque estallaría entonces el tema del menosprecio, el que se vive día y día y que se acalla porque, entonces, ¿qué le esperaría a los «deciles superiores»?

A pesar de que, en el estudio en 30 mil casas, se pidió que fueran los encuestados quienes escogieran su propia pigmentación en una escala en la que «A» es color chocolate y «K» es rosa, las voces que pidieron censurar los resultados lo hicieron sobre dos argumentaciones por lo menos gelatinosas: «Si yo soy moreno y me va bien, no existe el racismo» o «Todos somos racistas. A mí me dicen "güerito" en el mercado». El estudio fue acallado porque, en el mito posrevolucionario, los mexicanos somos una mezcla mestiza y el siquiera sugerir que los pobres tienen un color más oscuro que los ricos, significa que no todo éxito social se debe al mérito propio.

Hay algo de mágico en la prohibición de hablar de racismo en México. No decirlo es no convocarlo, como decir que uno no es «de izquierda» porque no quiere ser pobre o aceptar que se vive en una sociedad tan desigual que hasta teme perder la indigencia. Se habla de las comunidades indígenas como único receptáculo del racismo, el lugar, siempre alejado, donde el país lanza el prejuicio, la discriminación y la humillación institucional.

En la fantasía del país mestizo, los «indios» están en geografías aisladas, sin agua potable y hablando, entre humo de copal, otras lenguas. Si son «indígenas» están politizados y reivindican sus costumbres como leyes aparte del resto. Si son «antepasados» pueden pasar a mirar las joyas del esplendor azteca y maya. Los demás mexicanos, somos morenos, no indígenas, en la medida en que el bigote o el rebozo nos ocultan la cara. Pero el color de la piel se correlaciona con una estructura de oportunidades o falta de ellas. El estudio del INEGI lo mide con precisión: el 88 por ciento de los encuestados se autoclasificaron como morenos, entre la «G» y la «H» , a la mitad de la tabla de pigmentación. Pero una tercera parte de los que se clasificaron como más oscuros no terminó la primaria mientras que el 28 por ciento de los más blancos concluyó su educación superior. Cuando se les pregunta por su lugar en el trabajo, los más oscuros desempeñan en igual proporción –una tercera parte– trabajos manuales y de apoyo, mientras que el 32 por ciento de los más blancos son directivos.

La prohibición de hablarlo es porque, a diferencia de Estados Unidos, el menosprecio por el color de la piel no es institucional –no hay leyes contra la morenitud– sino familiar, de oficinas, de servicios, de trato cotidiano, es decir, en lo que se considera «mejor» por tener menos pigmento cutáneo. Se asocia morenitud con menor ingreso y, por tanto, con mayor posibilidad de que su portador sea un asaltante, o inferior. Los «gringos», además de pragmáticos, utilitarios y solitarios, tienen instituciones que humillan a una parte de su población. Los mexicanos no necesitamos de esas instituciones, podemos solitos.

El racismo mexicano es una relación de unos contra otros por el aspecto; no hay leyes que nos separen por colores –sería complicado dado el matiz tan enorme en la diversidad de cafés–, y la policía puede detenernos por ser morenos o por vengarse de que no lo somos tanto. Por eso está prohibido plantearlo: no hay leyes ni reglamentos qué combatir, sino que tendríamos que enfrentarnos cara a cara. El miedo de los «deciles superiores» es la guerra de castas que –suponen desde la altura de su ingreso– ellos perderían.

El racismo hacia lo moreno está interiorizado en los propios morenos. Los mexicanos morenos se apresuran a contarnos sobre su abuelo español y cómo se fue oscureciendo su esplendoroso legado pigmentario pero, sin transición, pueden pasar a defender el estatu quo como vernáculo cuando llaman a los opositores «gachupines» o «extranjerizantes». La mezcla se vive como una angustia entre lo propio y lo aspiracional: si ser moreno implica tener una educación deficiente y un trabajo monótono, nadie quisiera serlo. Si pudiéramos evitarlo, lo haríamos y, en vez de ser más parecida a la sirvienta, el sicario y el capataz de las telenovelas, podríamos aspirar a ser la dueña, el capo en control y el novio bueno. Tiene un contenido político: si las decisiones deben estar en manos de alguien con posdoctorado, muy probablemente las tome alguien que es casi transparente. La estructura de poder se revela en dos términos: «prieto» y «güerito».

El «güero» no es el rubio, sino el que tiene poder de compra, el que tiene el control sobre sus necesidades más primarias. En los infomerciales, es la consumidora contenta con su nueva compra. El «güero» es alguien confortable consigo mismo, seguro de que no le van a rebotar la tarjeta de débito. Dada la estructura de tercios que revela el INEGI es probable, aunque no indispensable, que sea de piel más blanca, menos moreno.

El «prieto» es más complejo.

El «prieto» es el mestizo a cuya pigmentación se le atribuyen, al mismo tiempo, indolencias, ignorancias, rencores atávicos y sentimentalismos a flor de piel. Es la continuación por otras vías de una guerra contra los pobres: el lépero de la Colonia (no de su barrio, sino del periodo virreinal, el de la Nueva España) da paso al «pelado» de la república independiente. Ambos términos son políticos: la «leperuza» es una chusma anónima y el «peladaje» es la misma pero, además, desprovista de ropajes. Ambas acabaron por encarnar al lenguaje soez: «peladeces» y «leperadas». Además de la grosería verbal, a los pobres de las ciudades se les atribuyen los mismos rasgos que a los campesinos franceses de principios del siglo XX. Enumera el historiador Eugen Weber los insultos que le merecen sus trabajadores al terrateniente Limousin en 1865: «Bestias de dos patas, apenas se reconoce en ellos a un ser humano. Su ropa siempre mugrosa y, cuando se desnudan, tienen una piel tan oscura y gruesa que uno duda si abajo fluye algún tipo de sangre. Su mirada obtusa y salvaje no deja entrever ningún rastro de pensamiento en este ser atrofiado física y moralmente. No tienen ningún escrúpulo para la traición; son ignorantes, apáticos, flojos, perezosos, inertes, de una naturaleza hipócrita, avara y taimada. Hay que decir que existe una distancia enorme entre nosotros, los que hablamos la lengua francesa, y ellos que apenas la tartamudean con dificultad».

Este sojuzgar —«sentenciar hacia abajo», literalmente— a los pobres asociando su aspecto a un juicio moral sobre su sospechosa humanidad, adquiere una vuelta con el término «naco». Escribe, en extenso, Carlos Monsiváis:

La naquiza tiene una historia: el desprecio imperante ante el perfil de un indio zapoteca que no puede decir apotegmas, el desdén ante el brillo (no verbal) de la vaselina y ante el esplendor (no tradicional) de la chamarra amarillo congo y ante la ilustración que a veces concede el certificado (no inafectable) de sexto de primaria, que respalda y encomia la voraz lectura de cómics, fotonovelas y diarios deportivos. Su historia: la opresión y la desconfianza, el recelo ante cualquier forma de autoridad, los asentamientos urbanos como hacinamientos en un solo cuarto, el arribo a la ciudad entre expropiaciones de cerros y enfermedades endémicas y quemadores de petróleo en construcciones de cartón o de adobe o de material de desecho con piso de tierra o de cemento. Su historia: el ir ascendiendo a duras penas o irse quedando entre la malicia de su espíritu crédulo y su muy reciente pasado agrario y su aprendizaje de la corrupción como defensa ante la Corrupción. Su sociedad: la conversación como gracia de la única pileta de agua, el tendajón como el ágora, la cerveza y la mezclilla como estructuras culturales, el ámbito del vecindario y del compadrazgo como la identidad gregaria que se exhibe en la vasta cadena de bautismos, confirmaciones, primeras comuniones, matrimonios, defunciones, quince años, graduaciones de primaria o de academias comerciales, compadrazgos de escapularios, de coronación, del cuadro de la Virgen, de alumbraciones y consagraciones. Su sociedad: el lenguaje extraído de comentaristas deportivos, de cómicos de televisión, de películas, de radionovelas, telenovelas y fotonovelas, la «grosería» permanente como único y último recurso ante un idioma que los rechaza condenatoriamente, la diversión como un desciframiento de las ofertas contiguas del sexo y de la muerte.

Discriminación por el gusto, «hablar mal», y cierta astucia de la servidumbre, que termina enclavada en el color de la piel. Y así llegamos, por fin, al «prieto» como nombre de la sociedad de castas que ubica el pronóstico de éxito en la pigmentación heredada y que, por lo tanto, desconfía de quien, con esa facha mestiza, ha podido tener casa propia: de ahí que, con todos los millones de la corrupción, «El Negro» Durazo no fuera solamente «Arturo» o el «jefe de la policía de la capital», sino el amigo advenedizo del Señor de Caparroso de Navarra, el presidente José López Portillo y Pacheco. Los dos fueron igualmente corruptos, pero no igualmente ilegítimos por su color de piel, ignorancia y truculencia. El racismo no se trata de una discriminación personal por el color de piel mestiza o por andar mal vestido –«mal envuelto»– ni tampoco por los prejuicios basados en estereotipos, sino que constituye una estructura narrativa y de imágenes respaldada por los que tienen el poder para diseminar ciertas creencias sobre los más morenos, que evita que tengan acceso al poder, los recursos o ciertos privilegios que deberían de ser por méritos, como la educación o el puesto de trabajo. Es decir, una cosa es que alguien te discrimine por cómo te ve a través de sus prejuicios, y otra muy distinta es que la forma en que está organizado el reparto del poder y los privilegios sea racista.

Por eso, no existe tal cosa como el «racismo al revés». El decirle «güerita» a alguien no es racismo, sino simple prejuicio. Cuando alguien no tiene poder institucional para definir si te quita un espacio, una forma de autodefinirte o una oportunidad por tus rasgos fenotípicos, te puede discriminar, sentirse superior a ti o tener un prejuicio en tu contra. Pero el racismo es otra cosa: es una estructura narrativa de verdad y de poder que, por el origen étnico y los rasgos aparentes, elimina a grupos enteros de las posibilidades de la equidad, la justicia y la libertad. Una cosa es que te discriminen o tengan prejuicios porque hablas francés –lo que no pasa de una anécdota personal– y otra muy distinta es que, estructuralmente, México es una nación racista porque los privilegios y el poder le están, si no prohibidos, sí alejados a los «prietos». Estas vías de ascenso cultural y social están más empedradas para los más oscuros que para los menos morenos.

El otro tema que hace ridícula la observación de que existe un «racismo al revés» es la historia. Que yo sepa, ningún «no-prieto», «menos prieto», «no tan naco» –en el país de las 23 combinaciones de las castas coloniales todo lleva comillas– tuvo que soportar la esclavitud, la encomienda o las limitaciones para acceder a la educación o a cargos de autoridad. Y menos ha tenido que aceptar que sean los privilegiados de la casta superior quienes definan su identidad. Y es que, acaso, la discusión que anuló la banalización del término «racismo» al suponer que podía existir como una estructura de doble vía –«racismo de los indios a los blancos»–, fue la de la autodefinición. Fue el poder colonial el que inventó una clasificación «naturalista» de los de abajo: criollo, mestizo, castizo, español, zambo, zambo prieto, mulato, morisco, albino, saltapatrás, apiñonado, cholo, chino, harnizo, harnizo prieto, chamizo, cambujo, lobo, jíbaro, albarazado, zambaigo, campamulato y tente en el aire. Donde «español» no es lo que dice, sino «español con mestizo que se casa con español», y donde «prieto» siempre es un escalón abajo en la pirámide de la fuerza institucional. En la cúspide, sólo los «peninsulares» –los nacidos en España– eran el verdadero poder. Un poder transoceánico, tan lejano a los súbditos como ahora los son los diplomados en la Ivy League de los ejidos. Hoy, siguen siendo los poderosos quienes definen a los otros como «prietos», «nacos», «lumpen», dentro de una estructura que les impide a éstos la igualdad y la libertad. Lo demás son insultos inaceptables porque discriminan, pero no insuperables como sí es nuestra democracia de las castas.

La construcción cultural del «prieto» –o del «moreno»– sigue siendo hoy la misma que durante la Nueva España. Nuestra invisibilidad nos hace parte de la «mayoría silenciosa», el lugar donde rebotan las encuestas –en esta elección todos pusieron en duda el porcentaje de más del 50 por ciento para López Obrador–, donde las estadísticas van mal, donde los discursos académicos de la ciudadanía «verdadera» –la Señora Sociedad Civil que no reconoce a la Plebeya– parece que no se entienden –siempre estará el problema del idioma– o se mal interpretan o se miran con sospecha. Somos esos, los «prietos», de los que nunca se puede uno fiar, que están siempre al borde de acuchillarnos traidoramente o llorar por un bolero o que, sin asumir su compromiso con la productividad, se dejan caer al pie del nopal ya privatizado, con un sombrero chino que nos tape del mediodía desgastado por el cambio climático.

Los que hoy se escandalizan en Twitter por el triunfo de Morena, son los mismos que creen que, al enunciarse como superiores, lo son en la realidad. Como un mantra que resuelve su propia inferioridad en la sociedad de casta mexicana –donde el último peldaño siempre estará fuera del país– se repiten: «Lo bueno de la lucha de clases es que la vamos ganando». El discurso por la igualdad de López Obrador y, antes, de toda la izquierda, desde los más moderados, es amenazante para quien cree que la vida lo recompensará algún día por su obediencia al poder. Los desesperados son «los de abajo», que necesitan protestar o disentir. Son los «chairos», un término que se asimiló en esta campaña a los de izquierda, también llamados «pejezombies», porque se concibe a los apoyadores del candidato como sometidos a la voluntad de este, como los zombis al chamán que los resucita de entre los muertos. Es interesante que sea el zombi la figura imaginaria elegida para referirse burlonamente a los votantes de izquierda. Denota, de inicio, la idea de que no son humanos –como las «cucarachas» en el léxico nazi contra los judíos– y que carezcan de albedrío y autodeterminación. Como en la tradición del zombi haitiano –el de las películas de Hollywood–, ese ciudadano de izquierda no puede ser libre, sino que es esclavo de un chamán que lo engatusa. Esta idea del zombi despoja a los ciudadanos de albedrío y, por tanto, está emparentada con la idea de varios opinólogos de derecha que retratan la relación entre López Obrador y sus seguidores como la de un «Mesías Tropical» –se hace escarnio de su origen en un estado pobre y caluroso del sur– con su «feligresía cuasireligiosa». Para ellos, los votantes de izquierda y los morenos del partido son no-humanos, es decir, no factibles de considerarse como iguales en derechos. Por eso no me sorprendió que un directivo de una televisora me dijera al revisar las encuestas donde López Obrador iba adelante por más de 20 puntos:

—No deberían de votar todos, ¿no crees? Hay muchos que no saben qué están haciéndole al país.

—Ese es justo el punto –le respondí sin demasiada afectación–, el país es de todos los que votan, no de los que «saben qué están haciéndole al país».

—Sí –trató de usar la referencia del lugar común que no estudió bien para su examen de Historia Universal–, pero los alemanes votaron por Hitler.

—Fue un golpe de Estado, licenciado.

Los «chairos» son los prietos ideológicos. Y éstos, además, son «pandrosos» –no siguen la moda–, «indígenas» –los rasgos que demuestran, desde el primer atisbo de su perfil, son la pobreza y el «mal español»– y, últimamente, «chairos», restauración ideológica del «naco», ahora asimilada a quien protesta por las desigualdades, y los menosprecios.

La enunciación del otro como inferior no admite utilizar «naco» o «prieto» por ser únicamente referido al color del piel, y se sustituye por «chairo» que tiene, supuestamente, un tinte más político. Los que desde las redes se sienten hoy indignados y/o amenazados por el triunfo de Andrés Manuel, sienten todo el peso de lo que el racismo mexicano les ha enseñado: apoyar al moreno es serlo. «Si yo sólo fuera pobre, protestaría, pero también soy obediente». En la medida en que desprecio la realidad de mi propia pobreza, desdeño a quienes protestan contra ella. Protestar, indignarse por la injusticia, sería aceptar que la padezco. El chairo siempre es más moreno que yo. Es el prieto. «El prietito en el arroz» es lo no comestible que resalta en la blancura generalizada. Es lo desechable.

Si los pobres, los morenos, no saben porque carecen de raciocinio, también está mal visto tomarse demasiado en serio «la política» o saber mucho de lo que dijeron y no los candidatos en las campañas. Es aburrido y preocuparse por lo público quiere decir que tu vida necesita de ello, que no está resuelta, que el dinero no te alcanza para no preocuparte. La banalidad es una insustancialidad como vanidad prestigiosa: no informarse para no preocuparse, despreciar las búsquedas insaciables de saberes como casi patológicas —«pejegeeks», «pejenerds»—, sentirse orgulloso de la propia bobería, de no tener que preocuparse por los demás o el país, porque tengo que sostener mi propia fantasía de que me va muy bien. Lo remoto antiintelectual lleva a lo insensible. Si nada es para tanto, hasta una masacre es celebrable o, al menos, eludible por la vía de «hay tanto de eso, que prefiero ya no verlo». No es que quienes justifican con su banalidad el estado actual de las cosas tengan una postura a favor o no de las reformas constitucionales o de cómo se han manejado los pactos corruptos entre los gobernantes y los empresarios —no pueden porque eso sería faltar al prestigio que les da la superficialidad—, es que aguantarlas es demostrar inclemencia, un valor de la cultura neoliberal. «*You're fired*», despedía implacable Donald Trump a los concursantes del show televisivo que lo llevó a la presidencia. Sentirse distinto a la mayoría es ser menos moreno y ocultar que tu apellido es «Hernández», pero también es no comprometerse, no ser «intenso», no ser tan ideológico. Después de todo, el sentimentalismo y lo épico son de mal gusto. Pero tampoco hay que decirlo o los demás podrían sentirse menospreciados.

El politólogo Pepe Merino, uno de los apoyadores de López Obrador más activos en las redes, dice de sí mismo: «Soy egresado del CIDE y de la Universidad de Nueva York, doy clases en el ITAM, y muchos suponen que debería de estar del otro lado. Pero no». En Twitter, Merino propone como video que sintetiza esta campaña presidencial el conocido como «Lady Baila Anaya». Fue el domingo 10 de junio en una plaza de Madrid cuando una señora un poco pasada de peso, de traje sastre blanco fue a provocar a los estudiantes de posgrado becados en España que hacían un acto a favor de AMLO. Baila frente a ellos gritando «Anaya, Anaya». El orador la invita por el megáfono a «expresar su preferencia», pero ella les grita:

–¡Pónganse a chambear! ¡O váyanse a Venezuela!

El orador le explica:

–A diferencia de lo que ocurre con las administraciones del PAN, nosotros no vamos a matar a absolutamente nadie, ni tampoco vamos a corromper a nadie. Nosotros creemos en las instituciones y en la fiabilidad de la vida pública.

Coincido en que este es el video de la campaña presidencial en el mundo virtual del Internet y de un Madrid que tiene estudiantes becados de quienes se burla una turista en su paso hacia el Mundial de Futbol de Rusia. Es significativo, también, porque la respuesta del seguidor de López Obrador es conciliadora. En efecto, ahora que ha amainado la lluvia, mientras se vuelve a dispersar por el Zócalo la concurrencia que aguarda la llegada del presidente electo, puedo ver ese mismo ánimo: no se va a menospreciar a quien nos ha menospreciado, ni a insultar a quienes lo han hecho. Es el ánimo de la reconciliación lo que se respira.

Una de las tres propuestas con las que Andrés Manuel logró que treinta millones de votantes lo eligieran y, con él, al bloque de candidatos de Morena, fue la amnistía, la reconciliación, el discurso de paz, del que tanto se burlaron los otros dos candidatos. Las otras dos propuestas fueron acabar con la corrupción y con la desigualdad. De hecho, en el discurso del Tec de Monterrey al que asistieron mil 800 alumnos, retomó ambos temas: el gobierno austero y el «primero los pobres», de sus anteriores campañas. Pero el discurso de la reconciliación es, sobre todo, para sus propios simpatizantes.

Mientras llega al Zócalo, pienso un poco y tomo algunas notas.

Decálogo del Dolor Nacional

1) Uno se reconcilia para mejorar las relaciones con quien le ha hecho daño. Es un proceso mutuo que se hace cargo del pasado para arreglar el futuro común. Se requiere decir la verdad, pedir perdón y compensar de alguna forma el daño que se reconoce para que el otro lado, las víctimas, puedan perdonar y amnistiar. No se necesita amar a los verdugos, sino comportarse como si perteneciéramos al mismo país. Para eso se requiere llegar a un acuerdo sobre el dolor pasado, aunque eso no necesariamente es perdonar.

2) El perdón es una facultad exclusiva de la víctima que tiene el derecho de discernir si el resentimiento la paraliza o, al contrario, la moviliza para que el daño no vuelva a ocurrir. La idea de la reconciliación no requiere el perdón sino la misericordia, es decir, la intervención de un tercero que tiene autoridad.

3) Mejorar las relaciones después de un daño tampoco requiere renunciar al resentimiento ni a los deseos de venganza. Como escribió Emmanuel Levinas, «el perdón actúa sobre el pasado porque, de alguna forma, lo repite, purificándolo».

4) Pero, si bien el perdón es sobre cómo se siente la víctima frente a su verdugo, la reconciliación, en cambio, es un proceso para cambiar las conductas de ambos en un futuro común. Básicamente, que el daño no se repita más adelante.

5) Pero se habló de un daño verbal en un pasado inmediato. Me quedé pensando en la otra reconciliación: sobre los daños a la vida y la libertad de los mexicanos, desde

69

1968, la guerra sucia de Luis Echeverría, y la presidencia criminal de Felipe Calderón, además de los miles de desaparecidos –junto a los estudiantes de Ayotzinapa– y las fosas ocultas por todo el país. Pero también sobre los daños a las familias y comunidades por los despojos y contaminación de tierras, agua, bosques, en la rapiña de las privatizaciones.

6) La reconciliación tiene muchas capas, porque los agravios y los daños son desde lo verbal hasta la desaparición física. El pasado mexicano está hecho de ultrajes y de pérdidas. Hay millones de agraviados que, para reconciliarse, necesitan ser reconocidos y el daño reparado.

7) ¿Cómo se repara una desaparición? Sabiendo dónde está el ausente. ¿Cómo se repara una ejecución en las calles? ¿Cómo, una tortura, una violación, una mutilación del cuerpo? Hay daños irreparables.

8) El resentimiento es un tipo de enojo moral. No es por envidia ni frustración ni desdén, ni malicia ni simple amargura. Es, como define Thomas Brudholm en su recuento del odio hacia los nazis de los sobrevivientes de Auschwitz, «la indignación afilada por el conocimiento de la injusticia». Es una reacción emocional ante lo injustificado.

9) Y es un sentimiento moral que no pueden experimentar los cínicos o quienes no creen que las personas tienen dignidad y derecho a no ser menospreciadas y humilladas por las instituciones. Al sentirlo, el resentimiento señala un trato inapropiado conforme a los estándares morales, protesta contra él y exige que cese. Las buenas conciencias que pretenden que se aplaquen los agraviados jamás reconocerían el resentimiento como razonable y como una virtud.

10) La indignación tiene una función moral: hacer justicia. No toda ira es razonable y la que no tiene un origen justiciero no tiene expresión política legítima. Tampoco sirve, por supuesto, para pacificar, cuando la paz es esconder todo bajo la alfombra porque el espectáculo debe continuar. Cuando tiene una demanda de reparación legítima, sirve como fuerza para iniciar un proceso de reconciliación desde la mirada de las víctimas.

En la celebración del Zócalo no hay ánimo de venganza contra los que han ofendido al movimiento, que es, en una nuez, la opinión, y a veces la movilización, de ciudadanos en torno a Andrés Manuel desde 2004. Ahora son los 30 millones de votos. Y la historia de este movimiento seguirá durante los próximos seis años de gobierno en la Presidencia, en las Cámaras del Congreso, en muchos estados y legislaturas locales, en el ánimo de mucha gente. No es momento para el dolor pero una mujer vestida con un quexquémetl y argollas lo dice dentro de una conversación con alguien que –asumo– es su marido:

–¿Quién hubiera pensado que íbamos a tener que reparar un país roto?

Roto. ¿Cómo se repara? Supongo que asumiendo que la indignación no es mala o errónea. La historia es la de Jean Améry, también llamado «Hans Maier», antes de las leyes contra los judíos en la Alemania nazi. Améry sobrevivió a los campos de concentración sustentado en sus deseos de vengar la injusticia contra él, su familia, y su pueblo. Escribió discursos que leía en la radio alemana después del fin de la guerra para que no se olvidaran las atrocidades cometidas contra millones, para no perdonarlas. Las reunió en un libro, *Resentimiento*. Después, a los 66 años, se suicidó. Brudholm lleva la idea de la indignación moral de Améry a la respuesta que un juez de la Comisión para la Verdad y la

Reconciliación de Sudáfrica le dio a una mujer que había sido víctima de violaciones repetidas bajo el auspicio del apartheid: «Busque una terapia». La mujer le respondió: «¿Por qué no buscan terapia ellos, los violadores?» En efecto, ¿por qué son los que no tienen poder, los que tienen que cargar con los recuerdos de una abominación, los que tienen, además, que buscar la reconciliación en su interior? Améry da su respuesta: «Mi resentimiento existe para que el crimen tome una realidad moral para el criminal. Por eso debe ser público». El resentimiento tiene ese objetivo colectivo de mejorar el futuro y no repetir el pasado. El perdón no puede ser una ofrenda que da la víctima sólo para ser superior y alzarse sobre el daño causado. También debe ganárselo el verdugo.

Pero, por supuesto, desde la óptica del nuevo gobierno de Andrés Manuel López Obrador, las cosas son distintas. Traigo a la memoria literaria, la invención de la amnistía. Son los atenienses en el año 415 antes de Cristo. Son una democracia con tres poderes: los jueces, la asamblea y el consejo. Están en una guerra contra Esparta en el Peloponeso y deciden invadir Siracusa. Cuando están perdiendo contra los espartanos, la oligarquía rica monta un golpe de Estado. Cuatrocientos comerciantes y aristócratas destruyen el régimen democrático y asesinan, según Tucídides, a la mayoría de los representantes populares. Sin embargo, el pueblo, desde los barcos en Samos, se organiza para derrocarlos y restaurar la democracia, pero justo pierden la guerra en el año 405 antes de Cristo, y Esparta les impone una dictadura de 30 oligarcas. La rebelión popular estalla nuevamente y el país invasor propone un arreglo: desalojar Atenas a cambio de una amnistía para quienes apoyaron las dos dictaduras, la interna y la impuesta. Los atenienses aceptan, salvo para quienes cometieron homicidios contra representantes desarmados. El único ejecutado es un ciudadano que busca la venganza contra un patricio que lo despojó de sus tierras. La amnistía se sostiene sobre la invención de un doble estándar: no se deroga ninguna de las leyes aprobadas por la dictadura, pero se les da poder a los jueces para revocarlas si algún ciudadano siente que le han causado daño. En una carta atribuida a Platón se lee la disyuntiva de Atenas: «La justicia sobre hechos ya ocurridos o incorporar a los oligarcas al sistema democrático». Platón establece la diferencia entre la «cuestión sustancial» –enjuiciar a los que colaboraron contra la democracia– y la «cuestión de compromiso», es decir, salvaguardar el régimen democrático incorporando a los golpistas. La historia de Atenas nos mostraría que quienes sienten que tienen más poder que el resto de los ciudadanos tienden a la dictadura. La democracia sólo le interesa a los que no tienen otro poder.

Ahora que logramos hacer una mayoría de votos, pienso en mis amigos. Algunos de ellos, por distintas razones, no votaron por López Obrador. De esos, pocos, realmente votaron en contra de que ganara. Ese es un tema para pensar más adelante, cuando salgamos de este Zócalo lleno de nosotros.

Es una cuestión que nos pertenece a quienes no somos ni víctimas directas de los daños del pasado ni políticos reclutados, a punto de entrar en el gabinete. Tiene que ver con las amistades que se rompieron en la campaña electoral. Desde luego, la política siempre es una definición sobre los amigos y los enemigos. Decía Jenofonte que sólo los políticos sabios sacaban provecho de sus enemigos. Pero me refiero a lo íntimo que se pierde en un vuelco como el que le dimos al país: los amigos. Nietzsche llama a la amistad «locura compartida». Desde luego, quien sólo tiene amistad con los que comparten su razón, no conoce de amigos. Uno no es amigo sólo de los que opinan igual que uno o viven con idénticos parámetros.

Escribe en *Humano, demasiado humano*: «El suelo sobre el que se alza la amistad es tan incierto que es preciso callarse para quedar amigos». Entre amigos hay lo que se calla. Ser amigos es eludir y ser discreto. ¿Sobre qué? Sobre la locura de la reciprocidad. Sobre sostener una relación con otro, no por la forma de acercarse, sino de separarse. Ser amigos es callarse juntos. Es una complicidad en lo que tenemos de diferentes y cuyo silencio sólo puede llenarse con la risa. Los amigos no se ríen de la maldad, sino que se hacen reír de lo que ya no tiene remedio. Por eso somos amigos, porque eludimos el hacernos daño.

Es momento de quitarles el «silencio» a los amigos que todavía me importan. A los demás, a los que nos ofendieron, les dejaré en «bloqueo». Desde luego, estoy hablando de Twitter, la nueva comunidad instantánea de quienes opinamos. Pero, en efecto, uno se hace amigo de alguien, no por lo que se comparte, sino por la curiosidad en torno a lo que nos separa. Y más vale empezar a reírse de eso. Los amigos pueden repararse porque, finalmente, no son sólo sus opiniones y comportamientos, prejuicios y virtudes, sino el cara a cara del porqué nos caen tan bien que queremos estar un rato juntos.

Los que estamos hoy aquí esperando en la noche y a pesar de la lluvia a López Obrador, si bien no somos amigos, ni siquiera conocidos, sí constituimos una comunidad. No estoy seguro de que sea una mayoría de creyentes en Andrés –quien cree en algo siempre cree en alguien, es decir, en quien lo expresa–, ni de deseos sobre lo que debiera ser el salario, el medioambiente, la seguridad, el nuevo aeropuerto. No creo que se trate de una narrativa específica del bienestar futuro, sino de un ambiente, de un estado de ánimo, ético.

Que la moral existe independientemente de nuestros deseos y creencias, es tan obvio como tener el impulso de salvar a un niño que se está ahogando. Ese aliento no cambia si uno es católico o ateo o si le conviene a uno salvar al niño o si uno lo conoce y quisiera conservarlo. El estímulo moral nos da la razón para hacer algo que no teníamos que hacer antes de que ocurriera. Sabemos que salvar al niño tiene un valor en sí mismo, es un acción que reconoce su propia razón de ser. Se reconoce que ese niño tiene un valor en sí mismo y sentimos el estímulo para actuar. Lo que hagamos depende de muchas circunstancias –si sabemos o no nadar, si hay alguien cercano que sepa hacerlo–, pero el impulso moral está en nuestra capacidad de valorar el mundo y tener el empuje de cambiarlo, independientemente de nuestras creencias o deseos.

Y creo que esta victoria es moral, además de política.

Esto es importante porque la cultura del individualismo neoliberal nos ha repetido que todo lo que hacemos está embarrado de interés personal, pero no es cierto en el hipotético caso del niño ahogándose, como tampoco lo fue en el de la ayuda de los vituperados «millennials» durante el terremoto del 19 de septiembre de 2017. Viendo a esta gente en el Zócalo celebrando con austeridad y dignidad el triunfo, pienso que nos han demostrado que no todo es apetito, cálculo interesado, o dogma de fe. Las acciones morales siguen existiendo en nuestra cultura.

Decir, como los teóricos neoliberales, que la moral es un «deseo de quedar bien con la autoridad», o que es para acrecentar nuestros narcisismos y satisfacer nuestra vanidad, no da cuenta de que existe en nuestra constitución como personas algo independiente de lo que pensamos o sentimos para decidir actuar. Se llama sentido moral y motiva a quien sea que esté consciente de una situación dada.

Actuar no es necesariamente inevitable, porque depende de otras circunstancias, pero el impulso inicial existe.

Los dos pensadores que pusieron atención en ello fueron Aristóteles y Kant. Ninguno de los dos negó los deseos, apetitos e inclinaciones naturales, sino que los tomaron como base de la acción. Nadie, pensaron, puede actuar sólo con base en sus apetitos, sin tomar en cuenta un imperativo de segundo orden: haré esto porque quiero sólo si no se contrapone con la moral. Hay muchas cosas que hacemos porque las deseamos, pero tendemos a justificarlas con ese segundo orden que nos habla al oído. Hacer el mal siempre tendrá un escrutinio que trata de calzarlo con lo que Aristóteles llamó «frónesis» y Kant «sentido del deber». Los sicarios que asesinan por dinero racionalizan su mala acción: la víctima o era un criminal o no pagó o «yo sólo cumplí con una orden». De la Casa Blanca, el presidente Peña dijo que era «legal».

Reconocemos el pluralismo moral que nos lleva a conflictos y dilemas entre actuar o no de determinada manera, no llegamos nunca al relativismo, donde todo tiene el mismo valor. La mayoría sabemos qué está mal y qué está bien por una intuición parecida a la percepción. Si uno ve una jirafa sentada en su cocina, tenderá a buscar la impresión de los otros para saber si es real o una alucinación. Esa coherencia colectiva parte de la idea de que el hecho moral, como la percepción, es una forma material en que el mundo nos hace sentido. El centro de esa intuición es que hay que tratar a los demás como fines en sí mismos y no como medios para realizar mis deseos o creencias. Un esclavo no es distinto a mí por su particular situación, digamos, laboral, pero eso no quiere decir que no sienta el impulso de que se le libere y sea tratado con dignidad. La moral es esa certeza material de lo que debe ser. Está en casi todos. Como está saber qué es el color rojo, aunque no podamos explicárselo a un ciego. Hay daltónicos morales, sin duda, pero son tan pocos los que saben que están equivocados.

Uno de los asuntos que se disputaron durante toda la campaña electoral fue justamente la motivación para actuar. El voto, aunque sea ese acto único de un domingo cada tres o seis años, contiene una intuición moral que Isaiah Berlin retoma de un lema de Jeremy Bentham: «Todos valemos uno y nadie más de uno». Esa igualdad que, en democracias fallidas como la nuestra, es un horizonte utópico, abre un hueco a la mitad del páramo de la injusticia y el sufrimiento. Los «expertos» le atribuyen al voto motivaciones como el miedo, la esperanza o el interés personal. Sobre este último se construyen dos tipos de «votantes»: los súbditos que venden su voto por tinacos y los que creen que están «comprando» representantes. Los que venden su voto son signo del fracaso de los programas sociales y de la idea de los derechos. Según un estudio de la UNAM, son madres solteras sin empleo y adultos mayores sin pensiones. Creen que el beneficio que se les entrega a cambio de su voto depende de la autoridad que se los condiciona, y no de la aplicación irrestricta de un programa social al que tienen derecho por ley. Los que creen que votar es como comprar un par de zapatos tienden a la abstención porque, en efecto, los partidos y sus candidatos no satisfacen apetitos, ni creencias, ni aspiraciones de pertenecer. Frente a un aparador del centro comercial, todos los zapatos pueden ser iguales, o muy caros, o que no te ajustan, pero eso no tiene relación alguna con sufragar. Los candidatos, a pesar del carácter mercadotécnico de nuestras campañas, no son mercancías ni el electoral es un «mercado» de ofertas y demandas. Ambos tipos de «votantes», en este país donde hay, si acaso, electores pero no ciudadanos, se preguntan: «¿En qué me beneficio si voto por tal o por cual?».

Las preguntas desde nuestra intuición moral debieran ser otras. Lo que los romanos de la República llamaron «buena vida» –el goce del cuerpo y los sentidos, la contemplación de las realidades que nos trascienden, y la preocupación por los asuntos de la ciudad– pasa por el hecho moral. Se vota por un deber ser que no guarda relación ni con los deseos ni con las creencias personales, como en un laberinto imperativo que se cierra sobre sí mismo.

Gustave Flaubert escribió algo que creo que atrapa el clima anímico de la noche electoral: «Existen dos morales. La pequeña, la conveniente, la de los hombres, la que cambia sin cesar y berrea tan fuerte y se agita abajo en la tierra como esta reunión de imbéciles que usted ve. Pero la otra, la eterna, está a nuestro alrededor y por encima, como el paisaje y el cielo azul que nos ilumina».

Habrá quien diga que la moral le estorba a la política y que no existe sino como «árbol de moras», como decían los priistas del cacique de San Luis Potosí, Gonzalo N. Santos. No veo una razón para ello desde la perspectiva de los ciudadanos. Pero, si no existe, hoy y aquí vale la pena defenderla.

Se ilumina el templete frente al asta bandera del Zócalo. Los cañones de luz apuntan ya a lo que será el pasillo por el que cruzará –según dice Internet– con su familia hasta el podio transparente.

–¡Qué diferencia con el escenario cuando lo nombramos «Presidente Legítimo» –dice la misma señora del quexquémetl.

Ya no puedo moverme entre la gente. El Zócalo se ha compactado para escuchar sus primeras frases como presidente electo.

–Estaba bien cucho todo –concuerda el marido.

–Aquella vez estuvo bien tristísimo –remata ella.

No hay diferencia entre un Grito de Independencia y esto, salvo que se grita, en medio del mariachi y el «animador» del micrófono, por algo que hicimos nosotros, con unas credenciales, un crayón, y mucha integridad. Somos todos, no sólo los que traen camisetas y banderas de Morena. Hay más con banderas tricolores, como para acabar de despojar al PRI del monopolio, pero la enorme mayoría nos traemos a nosotros mismos como estandarte.

¿Qué hemos hecho? Me pregunto como el pánfilo al que se le cumplen los deseos. Lo primero que se me ocurre es que hemos abierto una puerta, la de emergencia.

«La puerta me olfatea, vacila», escribe el poeta Jean Pellerín en 1921. La frase me vino a la memoria ahora, en 2018, en que ya es «la única salida». Queda claro de qué tratamos de huir: de la corrupción rampante que parece haber invadido ya a todos los funcionarios y a los empresarios –hasta el *rating* funciona hoy como la compra de votos– y de un país nómada que deambula sin encontrarse, de fosa en fosa, entre la penumbra de los desaparecidos, en el subsuelo de los restos humanos. La puerta ha sido una metáfora de la izquierda histórica. Recuerdo de adolescente un eslogan del Partido Socialista Unificado de México: «Para salir de la crisis y entrar a la democracia». El cartel de Fernando Rodríguez, para la campaña de 1985, tenía una llave, no de una puerta, sino de un «bocho». Más de treinta años después, la puerta es la que, como un perro curioso, duda entre abrir o cerrarse.

La puerta de la izquierda es ahora una salida de emergencia. Existe el imaginario de huir o de que se vayan todos. Pero estamos sujetos unos a otros. Hay un poder que quiere agarrarnos y no soltarnos, que trata de evitar nuestra fuga del país del dolor y el agua inyectada a los niños con cáncer. En esta lucha por soltarnos, Elías Canetti centra uno de sus fragmentos de *Masa y poder*, que comienza con la frase: «Nada teme más el hombre que ser tocado por lo desconocido» y, hacia el final, sigue:

> Nuestra vida civilizada no es más que un prolongado esfuerzo por evitar que nos sujeten. Seguir resistiendo o abandonarse depende de la relación de fuerza entre quien toca y es tocado, pero más importante, de la idea que el tocado se haga de ello: sólo renunciará a resistirse cuando piense que el poder del otro es aplastante.

La intención de Canetti, al escribir durante 34 años sobre el poder y las masas, era retratar lo que sintió en tres momentos de su vida: cuando, de niño, el novio de su niñera le puso una navaja en la lengua y lo amenazó con cortársela; el incendio del Palacio de Justicia en Viena por una multitud indignada en el verano de 1927, y la emergencia del nazismo en Europa. Su prosa sobre el poder se asienta, no en el psicoanálisis o en el marxismo, sino en el hecho y la experiencia de ser sujetado y tratar de escapar. Para el Premio Nobel de Literatura de 1981, el poder era material: agarra, aplasta y tritura. Por eso, cuando pensó en la puerta, la asimiló a los dientes de una boca:

«Los dientes son los guardianes armados de la boca. Este espacio estrecho es el prototipo de las prisiones. Al principio, cuando eran todavía cámaras de tortura, sus puertas semejaban fauces hostiles. La libertad para el prisionero es todo el espacio que hay más allá de esos dientes apretados: las paredes desnudas de su celda. Hay una acción paralela a este poder y es: no dejarse agarrar. Todo el espacio libre que el poderoso crea a su alrededor está al servicio de esta tendencia. El poderoso goza de la más nítida de las distancias; se dificulta el acceso a su persona. Cada puerta está estrictamente vigilada y él, que puede agarrar a quien quiera, esté donde esté, no puede, desde su lejanía segura, ser agarrado».

Pero toda puerta encarna una doble posibilidad: el poder puede cerrarla, la mente puede abrirla. La puerta es doble. Lo que hay más allá de lo íntimo y privado es imaginario, como el camino que se transitará, el clima que nos tocará, el anhelado puerto de llegada. Todo lo conocido y delimitado está adentro. Lo que nos parece ilimitado permanece afuera. Es por eso que el umbral tiene, entre nuestros antepasados, un carácter sagrado. Ante él uno se detiene y hace algún tipo de gesto para cubrirse —los católicos se persignan, los toreros hacen una cruz en la arena— y encarar lo que todavía no se conoce. El origen de la palabra «testigo» está imbricado con los testículos: son los que permanecen, gemelos, a ambos lados de un umbral, presenciando lo que sucede cuando se cruza la puerta.

Rene Char, uno de los poetas que firman el segundo manifiesto surrealista y que participó en la resistencia contra los nazis bajo el nombre de «Capitán Alexandre» –por Alejandro Magno– cuenta esa doble simbología de toda puerta: «Había en Alemania dos niños mellizos de los cuales uno abría las puertas tocándolas con el brazo izquierdo y el otro las cerraba con el brazo derecho». El porqué el izquierdo abre la puerta es debido a que se plantea las fugas, el camino hacia adelante sólo basado en una ensoñación de lo que puede llegar a ser. El derecho la cierra porque sólo propone permanecer del mismo lado de la puerta. De izquierda es el porvenir y, también, lo desconocido. De derecha es el miedo y la resignación.

En este Zócalo que ha visto asombrado la aceptación de la derrota tanto del candidato del PRI como del Frente PAN-PRD, se hace diáfana esta diferencia entre la izquierda que abre y la derecha que cierra. La idea de que existía un voto útil para que López Obrador no ganara la presidencia –idea de los empresarios beneficiados por el Programa contra el Hambre de Peña Nieto– resultó, por lo menos, fallida. No se puede convocar a cerrar una puerta si no es por miedo. No hay nada después de una puerta cerrada, salvo la vida privada de las familias, la economía del hogar, las rutinas domésticas. Pero si se traspasa el umbral de la puerta se puede caminar del otro lado: lo público. Todo el imaginario de los asuntos públicos está pasando esa puerta: la calle y sus peligros, los socavones, el alumbrado apagado, la delincuencia asechando, la corrupción de los funcionarios que huyeron con el presupuesto destinado al mejoramiento de la ciudad y que se exhiben en casas que nadie podría comprar. Pero, como escribió Gastón Bachelard en *La poética del espacio*:

A veces, la casa del porvenir es más sólida, más clara, más vasta que todas las casas del pasado. Frente a la casa natal trabaja la imagen de la casa soñada. Ya tarde en la vida, con un valor invencible, se dice: lo que no se ha hecho, se hará. Se construirá la casa. Esta casa soñada puede ser un simple sueño de propietario, la concentración de todo lo que se ha estimado cómodo, confortable, sano, sólido, incluso codiciable para los demás. Debe satisfacer entonces el orgullo y la razón, términos irreconciliables. El ser no se ve, está ahí. Es el no-ser el que debe dibujarse para imaginar por lo menos su silueta.

Entre el afuera y el dentro —cambiar o seguir igual, en términos de las campañas electorales— hay una inestabilidad de las geometrías: puede ser que lo interior sea vasto y que quedemos encerrados en lo inconmensurable del exterior. Por eso es mejor pensar en un umbral, no de espacio, sino de tiempo: una nueva era, un huir de lo semejante, un ánimo expectante, una angustia de lo inédito.

En una de las «greguerías» de Ramón Gómez de la Serna se lee: «Las puertas que se abren sobre el campo parecen dar una libertad a espaldas del mundo». El poeta juega con el dentro y afuera espacial: el mundo está en la casa y la mirada de quien abre se extravía en esa libertad insólita. De igual forma, en *Los cuadernos de Malte Laurids Brigge*, exclama Rainer María Rilke:

Oh, noche sin objetos. Oh, ventana sorda a lo de fuera, oh puertas cerradas con cuidado; costumbres venidas de antiguos tiempos, trasmitidas, comprobadas, jamás enteramente comprendidas. Oh, silencio en la jaula de la escalera, silencio en las estancias próximas, silencio allá arriba, en el techo. Oh, madre, oh, tú, única, que te has puesto ante todo este silencio, en los tiempos en que yo era niño.

Se pregunta Bachelard si no será el afuera de la puerta «una intimidad antigua perdida en la sombra de la memoria». La respuesta es siempre inexacta, pero sólo traspasando el umbral podremos saber si es una reconciliación con nuestra infancia o el despliegue de lo indeterminado.

Puertas que se abren. Pienso en esa sensación de plaza llena: no me puedo ya mover entre los codazos de los asistentes que se abren paso a la Historia, aquí llamada, a falta de República, «Cuarta Transformación»: lo único que se abre es el cielo. Ha dejado de diluviar y ya sólo es esa espera sin bajar la guardia para que no me quiten mi lugar en la plancha del Zócalo, justo al lado de una de las monumentales bases cubiertas de sábana blanca de una bocina. De ella sale la voz del maestro de ceremonias, muy profesional:

—El licenciado ya está aquí —dice, y el oficialismo no mina el estruendo que sigue.

Al interminable «No estás solo», de 2004 hasta apenas un año, le siguió el «Es un honor estar con Obrador». Eso es lo que estalla, a destiempo primero, luego se acopla para envolver a todo el Zócalo.

—¿Ya llegó Andrés? ¿Dónde está? —pregunta el marido de la mujer del quexquémetl.

Yo creo que nunca se ha ido. Yo creo que somos todos nosotros.

SEGUNDO ACTO

Que cuenta lo que el presidente electo dijo
en el Zócalo y de cómo se va apuntando,
al margen, su propia historia.

«Agua de Tabasco vengo
y agua de Tabasco voy.
De agua hermosa es mi abolengo
y es por eso que aquí estoy
dichoso con lo que tengo».

migas y amigos —comienza López Obrador, en el podio transparente de Morena.

Aquí es donde el orador se dirige a todos, no nada más a nosotros porque, de hacerlo así, sólo habría dicho: «ciudadanos». No dijo «compañeros» porque este discurso, a diferencia de todos los que ha dado, no es solamente para quienes lo apoyan, siguen, justifican y perdonan. Es para esa nueva distancia, ese nuevo horizonte de visibilidad, que es gobernar para todos. Recuerdo la respuesta del teórico de la Revolución francesa cuando le llamaron «ciudadano»: «No me diga así. No tengo la jerarquía necesaria».

Este es un día histórico y será una noche memorable.

Lo «histórico» es algo que enmarca los lemas y aspiraciones del lopezobradorismo desde el principio. Se encadena a las tres transformaciones del país: Independencia, Reforma y Revolución. Las tres, armadas y agrarias. Ésta nueva sería pacífica y urbana. El movimiento ha acogido el término «Cuarta Transformación» para plantearse como parte de esa historia. El neoliberalismo se había definido, desde Salinas, contra la Revolución mexicana, contra el ejido, la propiedad de la Nación, aunque no contra el corporativismo priista y la corrupción. Andrés Manuel hace fluir la historia de las transformacionales nacionales con una «separación entre los empresarios y el Estado». Su juarismo es de esa índole.

Una mayoría importante de ciudadanos ha decidido iniciar la Cuarta Transformación de la vida pública de México.

¿Qué, en vez de quién, es este presidente electo? Desde ya, es el que emerge de la chontalpa tabasqueña con los descendientes de los mayas en cayucos en 1988; el que emprende un «Éxodo por la Democracia» entre 1991 y 92; el que inicia en 1996 la resistencia civil contra el gobierno de Tabasco y por la indemnización de Petróleos Mexicanos a las comunidades que han contaminado; es el líder del Partido de la Revolución Democrática en 1996; el de la batalla en contra de que los trabajadores paguen el rescate bancario de los corruptos financieros en 1998; el jefe de Gobierno de la Ciudad de México del 2000; el que fue acusado de desacato y desaforado de su puesto para que no compitiera en la elección de 2006; al que se le hizo fraude en 2006 y sobrevino la noche de la violencia; es el que habla de la «República Amorosa», pero también de «la Mafia del Poder»; es el que se presenta como salida de emergencia de un país roto. Lo que es: un hombre que encarna al ciudadano común que libra, a base de consistencia, persistencia, y terquedad, los obstáculos que los poderosos le ponen en el camino. Quién es: un hombre que nace un 13 de noviembre de 1953 en Macuspana, Tabasco. Hijo de un «perro de agua», es decir, de la avanzada de la exploración petrolera que vadea por los pantanos y se abre paso con cartuchos de dinamita. Su madre era hija de un jornalero que, después, se convirtió en ejidatario. Es el que se abre paso.

Agradezco a todos los que votaron por nosotros y nos han dado su confianza para encabezar este proceso de cambio verdadero. Expreso mi respeto a quienes votaron por otros candidatos y

*partidos. Llamo a todos los mexicanos a la reconciliación y a po-
ner por encima de los intereses personales, por legítimos que sean,
el interés general.* Como afirmó Vicente Guerrero: «*La patria es
primero*».

Ese oscuro objeto de la servidumbre voluntaria se llama
«soberanía popular». Es un poder que, para existir, necesita des-
doblarse en un representante. No es el poder de quienes votaron por ese representante sino el de su doble gobernando para
todos, hasta para los que no votaron por él. Es un poder que se
excede a sí mismo, no nada más porque sólo se hace presente
cuando se entrega en representación, sino porque contiene, en
sí mismo, una utopía, la del primer artículo de los *Derechos del
Hombre y del Ciudadano* de 1789: «Todo ser humano nace y permanece libre e igual en derechos». Esa imposibilidad es la que
nos tiene aquí.

*El nuevo proyecto de nación buscará establecer una auténtica
democracia. No apostamos a construir una dictadura abierta ni en-
cubierta.*

Aquí le contesta a sus críticos que, desde la derecha, le han
adjudicado desde el inicio de su carrera política el san benito de
ser autoritario, querer disolver el Congreso, actuar sin consideración por las sentencias de los jueces y, en esta campaña, de
tener el deseo oculto de ser un «monarca». Así lo escribió el Ingeniero Enrique Krauze en *The New York Times* cuatro meses
antes de esta elección: «Entre sus seguidores y él hay un genuino
vínculo de fervor religioso que no es exagerado llamar mesiánico.
Movido por esa convicción, López Obrador es incapaz de ejercer
la autocrítica y exhibe una marcada inclinación a dividir al país
entre "el pueblo" que lo apoya y todos los demás, que apoyan a
"la mafia del poder". Si López Obrador decide apelar a movilizaciones populares y plebiscitos, no sería imposible que convocara
a un nuevo Congreso Constituyente y procediera a anular la

división de poderes, a subordinar a la Suprema Corte y las enti-
dades autónomas, a restringir a los medios y a silenciar las voces
críticas. En ese caso, México sería otra vez una monarquía, pero
caudillista y mesiánica, sin ropajes republicanos». A eso está con-
testando hoy.

*Los cambios serán profundos, pero se darán con apego al orden
legal establecido. Habrá libertad empresarial; libertad de expresión,
de asociación y de creencias; se garantizarán todas las libertades individuales y sociales, así como los derechos ciudadanos y políticos
consagrados en nuestra Constitución.*

Desde el inicio, López Obrador es al que se le inventan obstáculos. Se miente sobre sus verdaderas intenciones, se le señala
como externo. No es que él mismo sea «antisistema», sino que
el sistema se define contra él. Así, en 1988, durante la campaña
por la gubernatura de Tabasco que sigue al fraude electoral de
Carlos Salinas en la Presidencia, el candidato López Obrador
recorre el estado, obligado a responder a la campaña negra que
los ganaderos del PRI difunden en su contra:

«No soy comunista. No voy a quemar las iglesias».

A las mentiras en su contra se les agregan los requisitos legales, aunque inmorales, que se le exigen de última hora: la
autoridad electoral le pide al Frente Democrático de Tabasco
que sus representantes de casilla hayan vivido durante mínimo
dos años en los alrededores. Es un requisito que impide acreditar
cuidadores del voto. Los priistas apelan a una metafísica de la
identidad como aislamiento: la «tabasqueidad». Eso quiere decir
que no piensan aceptar representantes de casilla que no sean del
PRI de Tabasco.

Aun así, López Obrador sigue adelante. Los camiones del
transporte público llevan letreros a favor del candidato del PRI:
«Comunismo no, Neme sí». El líder de los «pequeños propietarios», Tomás Yáñez Burelo, asegura en un programa radiofónico:

«El socialismo nos va a quitar las tierras. Sólo el PRI nos garantiza la propiedad privada».

Tabasco es un estado en el que 80 por ciento vota por el PRI. Andrés Manuel López Obrador presenta dos credenciales de elector a nombre de los hermanos Mariana y Felipe Vázquez Pedraza. Son dos niños de cuatro y un año de edad. El líder del PRI tabasqueño, Roberto Madrazo, en una conferencia de prensa con Humberto Mayans Canabal, la autoridad electoral, dice:

«Ya conocemos la táctica de ensuciar las elecciones para, luego, alegar que hubo fraude. Los partidos del Frente Democrático de Cárdenas son partidos extra estatales».

El Sistema se define como lo absoluto-interno. López Obrador y su demanda de elecciones libres es una idea ajena, no tabasqueña, que viene del centro del país. Y el centro del país, por razones que nunca se explican, es marxista.

«Los comunistas –dice un folleto repartido a las afueras de las iglesias– ganan el apoyo de la gente mediante promesas de paz, prosperidad y felicidad. Prometen una mejor manera de vivir. Al principio, muchos lo creen, pero desgraciadamente esas promesas no las cumplen cuando ya han impuesto su yugo».

El propio candidato del PRI, Neme Castillo, arremete contra Cuauhtémoc Cárdenas, Heberto Castillo y López Obrador:

«Dicen estos señores que los vecinos no pueden cuidar sus propias casillas. Eso demuestra que no quieren cumplir con la ley. No es justo que estos señores hagan esto en Tabasco y en ninguna parte de México, en donde hay desarrollo, orden, respeto y en donde vivimos en una sola familia, que no debemos dividir».

Eso fue hace treinta años cuando la autoridad electoral le reconoció al Frente Democrático sólo el 21 por ciento de los votos. Y, si bien el triunfo del PRI, no fue «inobjetable», como dijo el presidente del PRI en el caso de la elección presidencial de Carlos Salinas, sí se le dio el 77 por ciento y el calificativo de «avasallador». Carlos Monsiváis lo resumió: «Quizás fue demasiada la expectativa en torno a las elecciones de Tabasco. Si el país cambió, el PRI no ha tenido manera de enterarse y al gobierno no le inmutó el prestigio, la fuerza popular, la capacidad de Andrés Manuel López Obrador, el candidato del FDN».

En ese octubre de 1988, Monsiváis retrata al candidato que fue acusado de querer quemar las iglesias y encabezar un levantamiento indígena en su «melancólica» oficina de campaña. Sobre el escritorio, el encabezado nada provocador del diario local del día de la jornada electoral: «Listos los fusiles». López Obrador le dice al cronista de la primera elección de gobernador después del fraude de Salinas de Gortari:

—Tienen tiempo de sobra para hacer lo que les dé la gana, para rebajar y aumentar números, pero su ganancia es efímera. No los pienso dejar en paz. Voy a recorrer de nuevo el estado organizando el movimiento. Ahora estoy cansado y un poco desgastado por la campaña de calumnias y la infinidad de transas. Pero esto es pasajero, y me reanima ver lo que avanzamos en tres meses.

Desde entonces, López Obrador le resulta a todos incansable.

Todo lo que parece nuevo, en verdad, es ya una repetición. ¿Cuántas veces ha venido el lopezobradorismo a protestar al Zócalo, a desmentir lo que se dice de él, desde «comunista» hasta «monárquico». Los signos están desde el inicio del Éxodo por la Democracia, aquel 25 de noviembre de 1991: un López Obrador decide el nombre de su protesta como «Éxodo por la Democracia» —y es acusado de «religioso», a él que antes se le adjudicó la intención de «quemar iglesias»— y el método que parece destinado a la derrota. Con 200 personas sale del Parque Juárez de Villahermosa, dispuesto a caminar durante 50 días los mil cien kilómetros de Tabasco a la Ciudad de México. Nunca se sube a automóvil alguno y prefiere las ampollas de caminar en jornadas de 12 horas seguidas, el calor, la lluvia y el frío, durmiendo en las canchas de basquetbol de las primarias y secundarias públicas de Veracruz y Puebla. Todo es repetición: su partido, el de la Revolución Democrática, no lo apoya y hasta expulsa a un militante que le da la bienvenida a su paso por Coatzacoalcos. Pero el reclamo es compartido: el fraude en la zona indígena chontal es el mismo que en la zona de Los Tuxtlas de Veracruz. Ahí, al pasar el río entre Tabasco y la selva veracruzana, el Tonalá, es que se le suman muchos más ciudadanos que reclaman elecciones libres. El dirigente estatal del PRI también es el mismo que, ahora gobernador, califica a López Obrador de «violento». Es Miguel Ángel Yunes.

El Éxodo llega a las puertas de la capital de la República el 11 de enero de 1992 y es recibido por 40 mil personas que apoyan sus demandas. Lo calculado por Andrés Manuel es que el presidente Salinas lo escuche, tomando en cuenta que será el testigo de los acuerdos de paz entre el gobierno y la guerrilla de El Salvador en Chapultepec. Los dirigentes del PRD, Cuauhtémoc Cárdenas y Porfirio Muñoz Ledo, no le han cubierto más que en la noche del Año Nuevo, al paso del Éxodo por Contla, Tlaxcala. Pero es suficiente; el secretario de Gobernación, Fernando Gutiérrez Barrios, recibe a la comisión de la marcha y se propone un consejo para el municipio de Cárdenas formado por los indígenas chontales. En Nacajuca y Macuspana –donde nació López Obrador– se acuerda anular la elección y armar consejos con mayoría priista.

López Obrador llega a la Ciudad de México sin más estragos que el cansancio. Sabe que lo esencial no fue lo logrado en la negociación con el gobierno de Salinas de Gortari, sino la protesta misma:

«Llegar hasta aquí resarce en cierta medida el daño que se nos hizo».

Esa idea, la de la protesta catártica, será la misma de 2006, cuando decide tomar el Paseo de la Reforma de la Ciudad de México. El derecho a manifestarse es, en sí mismo, el hecho de manifestarse. Es sólo cuando se ejerce que existe. El resultado no es lo de menos, pero sí palidece ante la enunciación que realiza la acción que significa. Como «jurar», «prometer», expresar la disidencia es la acción misma de ser disidente. En ese enero de 1992, el gobernador de Tabasco, Neme Castillo, cayó dos semanas después, pero López Obrador regresaría en el Segundo Éxodo, en 1994, en protesta por el fraude electoral perpetrado por Roberto Madrazo. En esa ocasión, el cómputo electoral se apagó tres veces durante la madrugada del 21 de noviembre.

—Cada vez que se iba la luz, regresaba con nuevos campos y, ya en el colmo, bajaba el número de votos contado —dice López Obrador antes de subirse al camión.

Esta vez no piensan andar a pie. Lleva consigo las cajas que documentan que el 70 por ciento de las casillas tuvo algún tipo de irregularidad. Se le acusa, entonces, de estar obsesionado con ser gobernador de Tabasco y, aprovechando el terrible y sangriento final del sexenio de Carlos Salinas y el inicio a trompicones del de Ernesto Zedillo, buscar una negociación. Pero Andrés Manuel exhibe una carta que lo comprometerá por siempre: no quiere el puesto, sino una elección libre.

—Ser gobernador es relativamente fácil. Sería cosa de ponernos de acuerdo, de transar, de concertacesionar. Por eso yo no estoy planteando que se limpie la elección, aunque yo pudiera ganar. Eso tiene un costo político y moral, y el hombre vale por sus principios. La política es un imperativo ético.

Pero, a pesar del compromiso del nuevo presidente, Zedillo, y su secretario de Gobernación, Esteban Moctezuma, no se anuló esa elección ni se creó «un cuarto poder electoral autónomo», como proponía López Obrador en una carta. En cambio, todo terminó en una parábola que el candidato le dirigió al gobierno que emergía del asesinato de Luis Donaldo Colosio:

–Un rey muy poderoso –sonríe Andrés Manuel– quiere demostrar que él es más confiable que el sabio del reino. Toma una paloma entre las manos y le pregunta al sabio: «¿Está viva o está muerta, la paloma?» El sabio piensa: «Si digo «viva», el rey la va a estrujar entre las manos para demostrar que me equivoqué. Si digo «muerta», la va a lanzar a los aires. ¿Qué creen que respondió el sabio? –aparecen los dientes delanteros de Andrés Manuel–. Dijo: «Yo no lo sé. La paloma está en sus manos». Así, esta elección. No voy a decir si la democracia está viva o está muerta. No está en mis manos.

En materia económica –sigue López Obrador, el primero de julio de 2018–, *se respetará la autonomía del Banco de México; el nuevo gobierno mantendrá disciplina financiera y fiscal; se reconocerán los compromisos contraídos con empresas y bancos nacionales y extranjeros.*

Aquí el escucha les comenta que no, la gente no aplaude.

Los contratos del sector energético –continúa López Obrador como presidente electo– *suscritos con particulares serán revisados para prevenir actos de corrupción o ilegalidad. Si encontráramos anomalías que afecten el interés nacional, se acudirá al Congreso de la Unión, a tribunales nacionales e internacionales; es decir, siempre nos conduciremos por la vía legal. No actuaremos de manera arbitraria ni habrá confiscación o expropiación de bienes.*

El petróleo no es sólo un tema de soberanía nacional. Es el reclamo por el despojo y la contaminación de las tierras y aguas de pueblos pobres, es el desdén porque se marchiten las plataneras, los pimenteros, los manglares, la costera. En 1993, López Obrador regresa al Zócalo con los campesinos de los campos petroleros de Tabasco. Reclaman la indemnización de 183 millones de pesos sobre 80 mil hectáreas contaminadas cuyo monto no les han entregado. Los campesinos secuestraron a los funcionarios y pidieron lo que les correspondía por una recomendación de la Comisión de Derechos Humanos. Las cosas se pusieron más feas. El gobernador Manuel Gurría les mandó un comando de 300 antimotines para liberar a los rehenes en el municipio de Cárdenas. Los gases lacrimógenos usados llegaron a los pulmones de dos bebés recién nacidos que tuvieron que ser atendidos de emergencia. Es entonces que el gobierno de Salinas, a través del secretario de Gobernación, Patrocinio González Garrido, se refiere a López Obrador como «terrorista y secuestrador». Los medios se escandalizan ante las tomas de las oficinas de Petróleos Mexicanos en La Venta, Huimanguillo, y El Castaño en Cárdenas. «Toman pozos petroleros», será la versión que circule.

Y se tomaron, pero eso fue hasta 1994. Rodeados por campesinos y militantes del PRD, 400 pozos permanecieron sin actividad. El entonces emisario del presidente Zedillo, Esteban Moctezuma, propuso que los liberaran a cambio de amnistiar a 63 presos políticos acusados de «sabotaje contra el consumo de la riqueza nacional». Pero los presos desde el 14 de diciembre de 1994 se negaron al intercambio: «Afuera tampoco somos libres». Las exigencias de una indemnización por las tierras contaminadas por el petróleo y la exigencia de anulación de las elecciones para gobernador, se juntaron. Desde 1988, Tabasco no tuvo estabilidad, con gobernadores que renunciaron e interinos que no quisieron llevar a cabo elecciones libres. Así que, a la toma de posesión del fraudulento Roberto Madrazo, el presidente Zedillo no fue, pero sí llegó el Estado Mayor del ejército que ocupó las calles con tanquetas de gas lacrimógeno y agua, los edificios públicos con francotiradores, y el aeropuerto. El estado de sitio fue para sosegar a los seguidores de López Obrador que quisieran impedir la toma de protesta del nuevo gobernador. Tabasco entró en una crisis. El gobernador no podía despechar desde el estado federativo y se la pasaba firmando órdenes desde el DF. Un desplegado en todos los periódicos, firmado por «La Sociedad Civil», pedía:

EXIGIMOS QUE SE PARE LA ANARQUÍA EN EL ESTADO DE
TABASCO. ¡FUERA LOS COMUNISTAS DE LA PLAZA
DE ARMAS! ¡BASTA YA DE HUMILLACIONES!
¡EXIGIMOS EL DESALOJO EXPEDITO!

«Los bien nacidos» hacen su aparición como depositarios de las castas superiores de la sociedad racista de las plantaciones tropicales. Son los ganaderos, los banqueros que han hecho negocios al amparo del poder y que terminaron, como Cabal Peniche, defraudando a los ahorradores pobres y huyendo con el dinero. De esa experiencia, López Obrador extrae el antagonismo entre los ciudadanos y el grupo que más tarde se llamará «la mafia del poder»:

–¿Quiénes son los «capitanes» o los jefes de los grupos económicos y políticos?

Me llama la atención el activismo del senador Arcadio León, dirigente de los ganaderos vinculado a Carlos Hank González y Manuel Gurría Ordóñez. El yerno del exgobernador Leandro Rovirosa Wade, Alberto Banuet, delegado de la Secretaría de Agricultura en la época de Hank. Hay empresarios vinculados a Cabal Peniche. Esto es un asunto de más envergadura de lo que nosotros imaginábamos y no descarto que Hank González haya metido la mano, incluso, Salinas de Gortari.

A seis semanas de tomado el zócalo de Villahermosa, la policía federal desaloja el plantón. Hay cientos de heridos y detenidos. López Obrador llama a una mediación, «sin claudicar pero sin violencia». El gobierno de Zedillo da por terminadas las pláticas de pacificación. Es el jueves 19 de enero de 1995. Con la plaza desalojada, López Obrador insiste en la vía pacífica para limpiar, tanto las elecciones como las tierras cubiertas de chapopote:

«Nosotros sólo decimos que vamos a detener cualquier acto violento. Nosotros no queremos el enfrentamiento en el estado. Hay mucha tensión y con cualquier acto de provocación el control se nos va de las manos a todos. Es como desatar un tigre».

El presidente Zedillo acepta tácitamente la represión contra el movimiento democrático de Tabasco y López Obrador regresa a la Ciudad de México a protestar ante la Bolsa de Valores, la Torre de Pemex y Los Pinos. Viene una vez más al Zócalo con: «Los más pobres de uno de los estados más ricos del país son, también, los pobres más politizados de un país cada vez más consciente».

Continúa Andrés Manuel en el Zócalo este primero de julio de 2018, «histórico»:

La transformación que llevaremos a cabo consistirá, básicamente, en desterrar la corrupción de nuestro país. No tendremos problema en lograr este propósito, porque el pueblo de México es heredero de grandes civilizaciones y, por ello, es inteligente, honrado y trabajador.

La idea de las civilizaciones indígenas le viene de su amistad y conversaciones con el poeta Carlos Pellicer. Imaginen a un López Obrador de 24 años. Conoce al poeta que le hace ver que los indígenas miserables de Tabasco son los mismos mayas que se glorifican en los museos. La visión del poeta lo sacude: los chontales dominaron, como fenicios, un vasto territorio de agua, de ríos, manglares y cascadas, transportando en sus cayucos mercancías y dioses, desde Veracruz hasta Panamá. Es el poeta quien lo invita, en enero de 1977, a ser el coordinador regional del Instituto Nacional Indigenista de Tabasco. Carlos Pellicer muere al poco tiempo, a los ochenta años. Escribe Jaime Avilés:

> Pocos días después, Andrés Manuel quedó al frente de una pequeña estructura burocrática, respaldada por una abundante y generosa chequera del gobierno. Al asumir el cargo, se comprometió a atender a 80 mil personas, distribuidas en 84 comunidades marginales de los municipios de Centla, Macuspana y Nacajuca, y la zona rural del municipio de Centro, a las afueras de Villahermosa. El abandono en que encontró a los descendientes de los mayas era absoluto. Sin médicos ni medicamentos en sus lejanas aldeas. Sin caminos ni medios de transporte para llevar a sus enfermos a los hospitales. Sin tierras. Sin dinero. Sin trabajo. Sin proyectos. Sin esperanzas. Sin futuro. Sus viviendas eran frágiles, de muros de palos y techo de palma tejida y guano. El piso era de tierra, o más bien de lodo, a causa de la humedad permanente. Adultos y niños dormían en hamacas. Los asediaban las garrapatas, los devoraban las chinches. Las lombrices intestinales. Los piojos. Los tábanos, los jejenes, los chaquistes. Eran víctimas de las epidemias de sarna. Pese a que el agua estaba por todas partes, no tenían agua potable. Tampoco drenaje. Mucho menos electricidad. Las cocinas se reducían a un comal, un fogón de leña y alguna que otra cazuela.

El origen del presidente electo es el de una mezcla de reclusión en los pueblos herederos de los mayas, el abrigo del poeta Carlos Pellicer, la idea de las comunidades como utopía a la mano, la regeneración como apuntarle a una gloria mítica.

> En mí ha quedado el instante
> en que fue más terrible tu tristeza:

cuando buscaste alianzas
entre los hombres de tu raza
y tu grito se perdió entre las selvas.

López Obrador aparece, como B. Traven, saliendo de la selva, de los pantanos en los que se han recluido los chontales. Pero también aparece como un funcionario que va perdiendo la fe en las posibilidades de la administración del PRI para ayudar a la prosperidad. En 1982, el gobernador Enrique González Pedrero le pide que reestructure el Partido en la entidad. Es una forma de sacarlo de la zona indígena y que ya no le cause problemas a los ganaderos. Pero se toma en serio su nueva encomienda.

El joven López Obrador plantea que exista lo que nunca ha tenido el Partido: bases que decidan. De su zona chontal comienza una regeneración en los 17 municipios de Tabasco. Serán comités democráticos. El PRI no lo tolera. Los caciques políticos, los ganaderos, se revelan contra la idea: no es posible que los indios, los campesinos jornaleros, a los que les rentan las tierras, tengan poder de decisión. La revuelta ganadera llega hasta las puertas del gobernador, quien acepta la presión. Le pide a López Obrador que deje la democratización del Partido y, mejor, administre el dinero del estado desde la Oficialía Mayor. Es una jugada del gobernador: tener a los amigos cerca; más cerca, a los enemigos.

Le cuenta a Jaime Avilés:

—Piensa cómo me sentía... Pasé a buscar a Rocío, que trabajaba en la delegación federal de la Secretaría de Agricultura. La pasé a buscar y le dije: pasó esto y voy a renunciar. Ella me dijo: «Yo te apoyo en lo que tú quieras». Me fui a la casa y redacté la renuncia, que todavía recuerdo: Ciudadano gobernador Enrique González Pedrero, desde hace tiempo he dedicado mi trabajo al servicio de los intereses de la mayoría del pueblo.

Hoy usted me brinda la oportunidad de ocupar el honroso cargo de oficial mayor de Gobierno que, siento, me aleja de ese propósito fundamental. En consecuencia le estoy presentando mi renuncia con carácter de irrevocable, etcétera, etcétera, y la firmé.

–¿Y se la llevaste?

–No… Hice la renuncia y en la mañana fui al palacio. Estaba el secretario particular y le dije: quiero que le entregues esto al gobernador. Entonces entregué la renuncia y me fui a Palenque, porque ahí estaban mis padres. Me fui rápido porque no sabía qué reacción iba a tener González Pedrero, fue una decisión muy fuerte. Me cuentan después que golpeó el escritorio y dijo: que venga Andrés Manuel, pero yo ya no estaba, ya estaba en Palenque. Allá estuve como dos días y de ahí salí a la Ciudad de México, y Rocío me alcanzó cuando renté un departamento, el de Copilco 300.

Es 1983 y deja atrás a los indios porque el PRI no quiere que sean parte de las decisiones. Aprovecha para escribir su tesis profesional, *Proceso de formación del Estado nacional en México, 1821-1867*. Regresará a Tabasco pero nunca más al PRI que lo quiso neutralizar ofreciéndole un cargo administrativo de la vieja política. Andrés Manuel volverá a Tabasco como opositor al PRI, en 1988, convocado por Cuauhtémoc Cárdenas, que ha escuchado a los chontales elogiarlo. Es un Andrés Manuel que duda entre su puesto en la capital del país, en el Instituto de Defensa del Consumidor, y volver a un estado donde el PRI logra votaciones del ciento uno por ciento.

Cuatro años antes, en 1984, su familia se había quedado sin ahorros. Es Ignacio Ovalle Fernández, que había sido su jefe superior directo en el Instituto Nacional Indigenista, quien lo invita a comer. En la sobremesa le ofrece interceder ante Clara Jusidman, la nueva directora del instituto que protege a los consumidores. Ella lo nombra director de Promoción y Participación. Ahí, Andrés Manuel da atención a las denuncias de los consumidores ante las mercancías de mala calidad o la publicidad engañosa. Inventa que todo se centralice en un número telefónico para evitar corruptelas. El número, 5-68-87-22, se le graba en la mente a todos los radioescuchas porque utiliza una canción pegajosa. El Instituto se hace, también, de una revista y un programa de televisión que explican cómo elaborar productos de marca en la cocina de las casas con ingredientes frescos y sanos. «Las tecnologías del consumidor» es el programa más visto de las madrugadas.

Pero, bueno, me he desviado. A ese puesto es al que Andrés Manuel renuncia para volver a Tabasco como opositor al PRI en 1988. Lo solicitan los indios chontales, sus viejos conocidos. Tiene un momento de duda ante Cuauhtémoc Cárdenas. Le dice que no. Se va de vacaciones pero el vuelo se suspende. En la espera, toma la decisión de aceptar. Todo empieza hace treinta años, en 1988. La Presidencia de la República se ha ganado con un fraude electoral, y en Tabasco, las fuerzas del candidato defraudado, Cuauhtémoc Cárdenas, postulan como candidato a gobernador a un joven que han propuesto con insistencia los indígenas de las comunidades chontales. Una semana después del 6 de julio, Cuauhtémoc Cárdenas habla con Andrés Manuel y lo invita a ser candidato del FDN al gobierno de Tabasco.

–Aceptar implicaba –le cuenta a Avilés– otra ruptura, una nueva toma de decisión...

–¿Cuando Cárdenas te llamó no sabías para qué?

–No... Ya después me entero de que la invitación para ser candidato llega porque los chontales ya estaban trabajando en la oposición, y como me conocían, pues le dijeron al Frente Cardenista, al ingeniero Heberto, a Cuauhtémoc, de que me buscaran pues, para ofrecerme la candidatura... La campaña fue interesantísima, fue con los chontales. Imagínate. Regreso, y los más felices eran los chontales porque fue el reencuentro con ellos. O sea, estuve con ellos en el INI, me vengo al Distrito Federal y regreso de candidato de los chontales. Entonces, desde el 88 y a pesar del fraude, toda la zona chontal la ganamos. Lo cual me dio muchísimo gusto porque fue como un reconocimiento a mi trabajo anterior de parte de ellos, y las primeras manifestaciones que encabecé en Villahermosa las hice con indígenas chontales. Al grado de que la gente de Villahermosa decía que los que se manifestaban no eran tabasqueños porque muchos eran muy pobres, muy pobres e iban descalzos y la gente de Villahermosa nunca los había visto.

Sigue la memoria de esa campaña cuando le ofrecen cooptarlo de nuevo. Dice Andrés Manuel:

–Un día me tocaba visitar la zona de los ríos, Balancán y todo eso, y por allá me alcanzó para decirme: mira, Salinas piensa que no vas a ganar, vente mejor a trabajar al gobierno... Y cuando yo le digo que no, a partir de entonces, ya se empiezan a preocupar acá... Hacen cambios en el PRI estatal, entra Roberto Madrazo al PRI. Ponen a Humberto Mayans de secretario de Gobierno, empieza la compra de dirigentes. Lo más emblemático es que el día que cerramos campaña en Nacajuca, a quien era candidato a presidente municipal nuestro lo compraron y no aparece en el mitin, ¡siete días antes de la elección! Los chontales, obviamente, indignadísimos. Y más cuando se probó que Mayans y Madrazo le entregaron dinero en efectivo. Entonces, cuando me hablan ahora de traiciones, pues ya te puedes imaginar, las he padecido, las he visto durante todo el tiempo.

La corrupción –dice el presidente electo López Obrador esta noche en el Zócalo– *no es un fenómeno cultural, sino el resultado de un régimen político en decadencia. Estamos absolutamente seguros de que este mal es la causa principal de la desigualdad social y econó-*

mica y de la violencia que padecemos. En consecuencia, erradicar la corrupción y la impunidad será la misión principal del nuevo gobierno. Bajo ninguna circunstancia, el próximo presidente de la República permitirá la corrupción ni la impunidad. Sobre aviso no hay engaño: sea quien sea, será castigado. Incluyo a compañeros de lucha, funcionarios, amigos y familiares. Un buen juez por la casa empieza.

La corrupción es un tema del lopezobradorismo desde el inicio. Es el año 1998 y, en el trayecto del viaje –Éxodo– desde Tabasco a la Ciudad de México para protestar por el fraude electoral y el despojo de tierras cultivables a los campesinos por parte de Petróleos Mexicanos, Andrés Manuel recibe 14 cajas de documentos. Al revisarlos, sabe que le han entregado los archivos financieros de la campaña electoral del PRI en Tabasco. Mira los montos depositados y el de los bancos que financiaron al Partido. Y encuentra la relación entre el rescate bancario de la crisis del final del sexenio de Salinas de Gortari y el pago de los financieros a cambio de ser protegidos con el Fondo Bancario de Protección al Ahorro (Fobaproa). El gasto de la campaña del PRI en Tabasco es un gasto de 237 millones 871 112 nuevos pesos. Casi el doble de la campaña presidencial de Ernesto Zedillo.

Escribe Andrés Manuel López Obrador en el recuento de su lucha contra el Fobaproa:

> Ese día, ante los medios de comunicación nacionales y extranjeros, presentamos un informe del contenido de las cajas y expusimos en el salón los documentos. Dijimos que podíamos probar que el gasto de campaña de Madrazo ascendía a 237 millones de nuevos pesos, que era sesenta veces más de lo que había informado oficialmente y que representaba cuatrocientas veces más de los 600 mil nuevos pesos que yo había gastado; que superaba en casi dos veces el gasto formal de Ernesto Zedillo en su campaña y que era superior a los cincuenta millones de

dólares de la campaña de Clinton a la Presidencia de los Estados Unidos de Norteamérica.

Sobre esto se dice que unos militantes del PRD, vecinos de la colonia obrera de la Ciudad Industrial, donde vivía antes la señora Ana Bertha López Aguilar, directora de contabilidad y brazo derecho de Gastón Viesca, subsecretario de Finanzas del PRI, descubrieron que en esa casa abandonada almacenaban papeles que parecían ser muy importantes sobre las elecciones de noviembre.

Todos ellos como probables responsables de delitos de defraudación fiscal, defraudación fiscal equiparada, encubrimiento de delitos fiscales, ocultamiento, alteración o destrucción de documentos para efectos fiscales, encubrimiento, asociación delictuosa, peculado, falsedad en declaración judicial, uso indebido de atribuciones y facultades y delitos electorales, cometidos en agravio de la soberanía del pueblo de Tabasco, de la dignidad del pueblo mexicano, de los derechos de nuestros candidatos a la gubernatura, a los ayuntamientos y a las diputaciones locales del estado de Tabasco y del Partido de la Revolución Democrática. La entrega de toda la documentación a la Procuraduría llevó varios días. Con anticipación certificamos, ante el notario público 30, mil 35 documentos que contenían las cajas pertenecientes al archivo de la Secretaría de Finanzas del PRI.

Los empresarios ligados a ese fraude que es múltiple –financiar al PRI para que les rescaten deudas de sus empresas que no son atribuibles a la crisis de pagos de 1994, sino a los lujos, malos manejos, y corruptelas– protestan airadamente contra López Obrador. El dirigente de los banqueros, Carlos Gómez y Gómez lo acusa:

«No es aceptable que esa politización que hace el PRD del Fobaproa se practique para capitalizar la inquietud social con propósitos particulares, poniendo en riesgo la viabilidad económica y social de México».

Eduardo Bours, dirigente del Consejo Coordinador Empresarial, señala a López Obrador como un inquisidor: «Pretende convertir el caso Fobaproa en un juicio sumario, en una cacería de brujas, y pone en riesgo, por las acusaciones infundadas, el prestigio y la viabilidad de las empresas que cotizan en la Bolsa Mexicana de Valores. Por ello, muchas de nuestras empresas y empresarios demandarán legalmente a ese partido, al PRD, por difamación, daños morales y lo que resulte».

Andrés Manuel contesta, nunca deja de contestarles:

«Aquí –observa– hay un problema de fondo: El país siempre ha vivido saqueado. López Portillo dijo: «Ya nos saquearon, no nos volverán a saquear». Con Salinas pasó lo mismo. Ahora se pretende que con los ojos cerrados aprobemos la conversión de los pasivos de Fobaproa en deuda pública. No podemos dejar de insistir en la transparencia. No vamos a granjearnos la confianza de los dirigentes empresariales al precio que sea. Aquí el problema es la relación entre el gobierno y los grupos económicos y financieros, esa mezcla de intereses, entre poderes, la manera como se alimentan y nutren mutuamente. Nosotros creemos que la que hubo no fue una respuesta de «los empresarios»; ellos no tienen que ver con este asunto. Es fundamentalmente el gobierno y un grupo muy reducido de banqueros y hombres de negocios vinculados al poder».

Y sigue:

«Se equivocan quienes afirman que el PRD tiene un interés electoral en el caso Fobaproa. Si fuera por sacar plusvalía electoral, no nos lanzaríamos con un asunto que genera reacciones violentas en los dirigentes empresariales. El PRD no es una máquina de elecciones únicamente. Es un asunto de principios: no se puede aceptar la conversión en deuda pública sin una revisión de fondo. Sólo los cómplices aprueban con los ojos cerrados cualquier asunto o decisión».

Convoca entonces a una consulta para el 30 de agosto de 1998, en la que se pregunte a los ciudadanos si están de acuerdo con rescatar a un sector financiero que ha incurrido en el financiamiento del Partido que los rescata con dinero de los ahorradores.

«Es inmoral pretender sacar un acuerdo sin la revisión de las operaciones. Es inmoral que el gobierno oculte información de un asunto de interés público en el que está de por medio el bienestar de por lo menos dos generaciones de mexicanos. Es inmoral que se utilicen recursos del presupuesto público de un país empobrecido para proteger a quienes aparecen en las listas de los hombres más ricos del mundo. Es inmoral que se permita, mediante el tráfico de influencias, el beneficio para unos cuantos a costa del sufrimiento de la gente».

El litigio en contra del Fobaproa lo hace romper en la Cámara de Diputados con Acción Nacional y su presidente, Felipe del Sagrado Corazón de Jesús Calderón y, dentro del propio PRD, con Porfirio Muñoz Ledo. Andrés Manuel es más que enfático:

«El PAN ya acordó con el gobierno avalar el mayor atraco a la nación en toda su historia, que incluye operaciones fraudulentas entre funcionarios y empresarios vinculados al régimen. Al PAN ya lo maiciaron. En el fondo está la coincidencia de los intereses económicos entre los hombres del régimen, los tecnócratas y las cúpulas del PAN. Ahí en donde se amarran los acuerdos, más allá de las concesiones electorales que han existido y que seguirán existiendo. La verdad es que los lampareamos, les pusimos los reflectores. Estaban con el gobierno en lo oscurito. Querían darnos atole con el dedo, porque así lo han hecho en otras ocasiones. Siempre aparentan, fingen, simulan que van con nosotros y, a la hora buena, se zafan y se van al lado del gobierno. Este quebranto financiero tiene su origen en la inescrupulosa entrega que Carlos Salinas y Pedro Aspe hicieron de los bancos a personajes ligados al régimen, y en la operación discrecional de los mismos. Al producirse el rescate, el comité técnico del Fobaproa validó operaciones fraudulentas, acordó quitas y condonaciones de miles de millones de pesos, autorizó nuevos créditos para empresas técnicamente quebradas y, por lo tanto, inviables, y aceptó en dación de pago bienes sobrevaluados».

Luego, cuando se le pregunta si esa denuncia no significará un costo electoral para su partido, dice sin chistar:

—Tengo la obligación de decirles que vamos a tener un retroceso electoral, pero estamos dispuestos a pagar ese costo.

—¿Aun en el 2000? —le pregunta un reportero.

—Aun en el 2000. Por asuntos de principios estamos dispuestos, inclusive, a sacrificar nuestro avance electoral. Nosotros apostamos a la gente.

La batalla del PRD de Andrés Manuel contra el Fobaproa era, más que por la economía, por la política. Los bancos quebrados y rescatados habían crecido al amparo del Estado y financiado las campañas de su Partido. Un ejemplo estaba justo en Tabasco con el Banco Unión de Carlos Cabal Peniche, que había aportado más de 30 millones de dólares al PRI. Esa complicidad entre empresarios y políticos con el dinero de los ahorradores pero también de los impuestos, es el germen de lo que llamará «la mafia del poder»:

«Y éste es un ejemplo de cómo se articula la red de complicidades en México. Cabal no se hubiera encumbrado sin el respaldo de Carlos Salinas, Pedro Aspe, Guillermo Ortiz y Carlos Hank. Convendría hacerles una pregunta fundamental a los hombres del PRI y del gobierno: ¿A cambió de qué el PRI recibió, entre 1993 y 1994, 30 millones de dólares de Cabal? A nosotros nos llama la atención que los 72 millones de dólares que utilizó el PRI en Tabasco en 1994, éste los manejó en cuentas de cheques de Banca Confía. En ese tiempo nos preguntábamos: ¿Por qué tanto dinero en un solo banco? ¿Por qué todo se movió en un banco de nivel medio, donde el mayor cliente era precisamente el PRI? Ahora resulta que, según Eduardo Fernández, presidente de la Comisión Bancaria y de Valores, Jorge Lankenau Rocha, dueño de Banca Confía, actuaba en contubernio con Carlos Cabal Peniche, dueño de Banco Unión y financiero de la campaña de Roberto Madrazo, y que entre estos banqueros se otorgaban créditos cruzados. El hallazgo más importante en la investigación realizada por la Procuraduría consistió en descubrir la existencia de un fideicomiso de inversión y administración, constituido el 5 de agosto de 1993 entre el PRI de Tabasco, en ese entonces presidido por Roberto Madrazo, y Banco Unión, propiedad de Cabal Peniche. Hay complicidades en esta mafia y lo hemos puesto en el ojo público. Y justamente, las negociaciones para convalidar el lesivo programa de rescate bancario provocaron que la Cámara de Diputados no le autorizara al Distrito Federal, no sólo un techo de endeudamiento por 7 mil 500 millones de pesos para obras, sino que le frenaron también cualquier programa federal de desarrollo social. Es la única entidad de la Federación que no lo tiene. Fue un castigo a nosotros y al jefe de Gobierno, Cuauhtémoc Cárdenas, por protestar contra este atraco a la nación».

Sigue Andrés Manuel en el Zócalo, desgranando el párrafo catorce de su discurso, su primera alocución como presidente electo:

Todo lo ahorrado por el combate a la corrupción y por abolir los privilegios se destinará a impulsar el desarrollo del país. No habrá necesidad de aumentar impuestos en términos reales ni endeudar al país. Tampoco habrá gasolinazos. Bajará el gasto corriente y aumentará la inversión pública para impulsar actividades productivas y crear empleos. El propósito es fortalecer el mercado interno, tratar de producir en el país lo que consumimos y que el mexicano pueda trabajar y ser feliz donde nació, donde están sus familiares, sus costumbres, sus culturas; quien desee emigrar, que lo haga por gusto y no por necesidad.

Este es sin duda un guiño hacia Estados Unidos y su presidente, Donald Trump. A diferencia de la estrategia del presidente Peña Nieto de hacer de México una aduana policiaca contra los migrantes centroamericanos –donde Centroamérica es todo lo que no sean Las Lomas de Chapultepec–, la de López Obrador es desarrollar el campo para que la gente no tenga necesidad de emigrar.

El Estado dejará de ser un comité al servicio de una minoría y representará a todos los mexicanos: a ricos y pobres; a pobladores del campo y de la ciudad; a migrantes, a creyentes y no creyentes, a seres humanos de todas las corrientes de pensamiento y de todas las preferencias sexuales.

Escucharemos a todos, atenderemos a todos, respetaremos a todos, pero daremos preferencia a los más humildes y olvidados; en especial, a los pueblos indígenas de México. Por el bien de todos, primero los pobres.

Los tres Andreses

Algunos medios de comunicación arrastrados por la minucia del instante que se borra en el siguiente, hablan de los tres López Obradores: el que aparece goteando sangre de la frente en el desalojo de los pozos petroleros en 1995; el jefe de Gobierno del DF, en el 2000, que es criticado, lo mismo por emprender un programa de ayuda a los adultos mayores que por inaugurar un distribuidor vial al lado del hombre más rico del mundo, Slim, y el arzobispo primado de México, Norberto Rivera Carrera; y el candidato de la «república amorosa», la reconciliación, el perdón y la amnistía. No son tres hombres distintos, sino una misma concepción del papel que López Obrador se atribuye y sigue a pie juntillas.

En una entrevista de 1995, después de los desalojos que padecen sus seguidores en Tabasco, reflexiona sobre su doble cuerpo: el líder y el dirigente. El primero es el que traza un nuevo rumbo para la acción política y realmente no le importa cuánta gente lo apoya. Es el que conoce una ruta distinta y se lanza, como el «perro de aguas», a la exploración. El segundo, el dirigente, ya está rodeado de una organización y, entonces, concilia entre los que la componen, sus intereses, vanidades, aspiraciones de reconocimiento. A diferencia del líder, el dirigente no señala un nuevo camino, sino que colabora para que se llegue al buen puerto que entre todos han decidido.

«Un buen político –dice López Obrador– percibe esta opinión casi generalizada en favor del cambio y, en vez de querer detener esta corriente de opinión, la conduce y la vuelve normalidad política. Precisamente, eso es lo que distingue a un hombre de Estado de un jefe de grupo».

La diferencia entre el líder de un grupo y un dirigente no hace de él dos o tres personas distintas, sino sus líneas de acción. Normalmente confundimos los medios y los fines y, por ello, hablamos de «radicalismo» cuando el medio es violento –o desobediente– y de «moderación», cuando es por la vía de los jueces, las peticiones, los desplegados. Pero eso da cuenta de los medios, no de los fines. Los fines pueden ser radicales, como en el caso de llevar a cabo una separación entre el capital y la autoridad del Estado, y lograrse por vías legales. Puede ser un fin muy moderado, como la indemnización de Petróleos Mexicanos a los campesinos cuyas tierras contaminó con sus extracciones y utilizarse el medio de tomar los pozos petroleros.

Es decir que, contrario a lo que los medios de comunicación ven en López Obrador, confundiendo los medios con los fines, yo creo que ha sido, a veces líder y, otras, dirigente. Las acciones de líder han sido los Éxodos por la Democracia y la toma de los pozos petroleros. Me queda claro revisando la propia historia de cómo fue que le dieron el macanazo los policías que lo desalojaron. Dice López Obrador, cuando le preguntan por la portada de la revista Proceso en la que gotea sangre:

«Puedo demostrar que hay 300 mil hectáreas afectadas por la contaminación en Tabasco. Tan sólo la zona costera tiene un grave problema de salinidad; Pemex abrió, dragó barreras naturales que separaban el mar de lagunas pesqueras, y ahora el mar va tierra adentro. Esto ha afectado más de 50 mil hectáreas, y lo peor de todo es que no hay medidas correctivas. Lo mismo podemos decir de las emanaciones de gas y gasolina a la atmósfera; de la lluvia ácida que afecta a los cultivos; de las presas para recoger desechos de depósitos petroleros, que en épocas de inundación se desbordan y contaminan toda la superficie. Es una realidad también que Pemex ha terminado con la pesca en toda la cuenca del Grijalva. Ese es el fondo del asunto. Es muy ligero hablar de la "industria de la reclamación"».

Los reporteros le insisten sobre su herida. Él responde:

–No ha pasado a mayores. A mí me dieron un macanazo no muy bien puesto –dice, mientras se toca el chipote–. Pero a como están las cosas, la actitud de la gente ha sido ejemplar. El hecho de que llegue la policía y la gente se haga a un lado, de que detengan a los hombres y las mujeres digan que también quieren ir presas, muestra que hay una voluntad colectiva. La gente está dispuesta a defender sus derechos de manera pacífica. Todos estamos dispuestos a ir a la cárcel.

Habla entonces, no de los fines, sino de los medios para lograr que su movimiento a favor de los campesinos en las zonas petroleras triunfe:

«En una lucha contra un régimen autoritario sólo hay tres caminos: uno es la toma de las armas; otro, la resignación y la aceptación de la esclavitud sin grilletes. La posición intermedia es la que estamos asumiendo: la del movimiento ciudadano pacífico, la resistencia civil».

Sus declaraciones vienen el mismo viernes 9 de febrero de 1996, cuando el agente del Ministerio Público Federal, Francisco Javier Macorro García, consignó por la mañana al juez de distrito en turno la averiguación previa 28/96, y solicitó la orden de aprehensión contra López Obrador y otros 44 militantes, entre ellos el alcalde de Cárdenas, Héctor Muñoz Ramírez.

Los delitos por los que fueron acusados, según el MPF, son sabotaje, daño en propiedad ajena, asociación delictuosa, conspiración contra el consumo y la riqueza nacionales y oposición a que se ejecute obra o trabajo público.

Pero, además, a López Obrador y al alcalde, al igual que a otros seis dirigentes perredistas, se les imputaron los cargos de «provocación de un delito y apología de estos» (sic).

Los rumores sobre la detención del líder perredista comenzaron apenas se aprehendió al presidente estatal del PRD, Rafael López Cruz, y a seis de sus correligionarios en una aparatosa incursión de unos mil efectivos militares y agentes federales, con apoyo de equipo antimotines y de Seguridad Nacional, en el bloqueo al campo petrolero SEN, el más grande de América Latina.

Tras el desalojo, en el que López Obrador recibió por primera vez en su vida política un macanazo en la cabeza, se produjo un choque entre las fuerzas de seguridad y los campesinos e indígenas de Nacajuca –dispersados con toletes y gases lacrimógenos–, que produjo bajas de ambos bandos.

Charlando con los mandos policiacos y militares del operativo, antes de que se desatara la violencia, se vio a Boris Garrido Ramírez, identificado como el provocador que contrató a pandilleros que, el 19 de enero de 1995, desalojaron la Plaza de Armas tomada por perredistas que impedían la entrada del «espurio» gobernador Roberto Madrazo al Palacio de Gobierno.

–Sí, tengo alma represora. Y me gusta –confiesa Boris Garrido–. Si yo estuviera al frente del operativo, ya me los hubiera madreado y me los llevaría, amarrados del pescuezo, a la cárcel –sonríe, sin rubor, quien dice ser descendiente del Camisa Roja Tomás Garrido Canabal.

Momentos después de esa confesión se produjo el enfrentamiento, y luego cuatro horas y media de tensión, frente a frente, en el puente de la comunidad de Guatacalca, que sirvieron de embudo para evitar la batalla campal.

En la confrontación hubo una veintena de heridos del lope-zobradorismo, y unos ocho policías golpeados, quienes perdieron en la trifulca cascos y toletes. Vergonzosamente, y para enojo del teniente coronel del Ejército al mando de los militares, soldados y policías huyeron del gas disparado por ellos mismos, y que el viento –como en un poema de Pellicer– les devolvió. Los campesinos gritaban:

«¡Hasta el viento está con nosotros!»

Ese día, durante el operativo de desalojo, detuvieron a los primeros siete bloqueadores lopezobradoristas. Uno de ellos fue el líder estatal del PRD, Rafael López Cruz. Días después, otros 50 cayeron presos en El Castaño, municipio de Cárdenas. A pesar del desalojo y las detenciones, López Obrador no ceja. Sigue explicando el problema, como el líder de un grupo de campesinos:

«Dos muncipios ejemplifican nuestras demandas: las comunidades Tecominoacán, Mecatepec y Ocuapan en el municipio de Huimanguillo, y Oxiacaque, Olcuatitán, Tapotzingo y Tecoluta, en el municipio indígena de Nacajuca. En las tres comunidades de Huimanguillo se instalaron los campos petroleros Jujo y Tecominoacán con producción de 130 mil barriles diarios de petróleo tipo Olmeca, que aportan diariamente al erario nacional 18 millones de pesos. Es decir, con la producción de un día y medio de estos campos petroleros se obtiene el monto del presupuesto de un año del municipio de Huimanguillo. En Nacajuca, los indígenas chontales se enteraron que en sus tierras «estaba guardado un tesoro inconmensurable»: el campo petrolero SEN, enorme yacimiento calculado en 261 millones de barriles de petróleo crudo equivalente, según Pemex, a alrededor de 4 698 millones de dólares en 15 años. Sin embargo, y según datos de Conapo de 1990, en Huimanguillo 60 por ciento de la población mayor de 15 años no tiene la primaria completa y 31 por ciento no cuenta con un baño, drenaje y energía eléctrica en sus viviendas. Más de 60 por ciento no tiene agua entubada, 74 por ciento vive en condiciones de hacinamiento. El 75 por ciento de estos campesinos indígenas no llega a dos salarios mínimos al día».

Dos años después, Andrés Manuel exhibe su acción como dirigente. Encabeza ahora el PRD y construye una estructura de brigadismo, llamada Brigadas del Sol. Se trata de al menos un brigadista por cada una de las 63 mil secciones electorales. Además, por cada 50 secciones hay un subcoordinador, y un coordinador por cada uno de los 300 distritos federales en que se divide el país. El PRD manda imprimir en sus propios talleres 13 millones de ejemplares de cada una de sus propuestas. Explica López Obrador:

«La decisión de utilizar una estructura organizada de promoción del voto responde a la experiencia electoral de 1994, cuando nuestras expectativas de un triunfo de Cárdenas en los comicios presidenciales se estrellaron con una derrota. Creamos, entonces, las Brigadas del Sol para las elecciones locales en Tabasco, como una fórmula para contrarrestar la aplanadora priista que se nos venía encima, como lo demostraron las 14 cajas que evidenciaron el gasto de 72 millones de dólares en la campaña de Roberto Madrazo. En las cajas encontramos información que probó que la sola estructura de promoción del voto priista consumía tres millones de pesos mensuales. En la campaña, nosotros no sabíamos eso, pero vaya que lo resentimos. Entonces decidimos reunir gente para trabajo voluntario, y así nacieron las Brigadas del Sol. Gracias a eso, Madrazo no nos barrió».

Desde esa acción como dirigente, López Obrador decide hacer una presidencia del PRD itinerante, en contacto con los ciudadanos, y no en las oficinas del partido. Como dirigente nacional del PRD, logra ganar la capital de la República para la candidatura de Cuauhtémoc Cárdenas y ser la segunda fuerza en la Cámara de Diputados. Además de itinerante, esa concepción de su papel no tiene nada que ver con ser o no moderado, sino con la convicción moral. Dice, en plena euforia por la obtención de la Jefatura de Gobierno del DF en el 2000:

«La política es un imperativo ético. Sólo así podremos resistir las tentaciones del poder. Se debe tener en cuenta un elemento que funcionó en la capital del país: es más fuerte el poder ciudadano que el poder de los partidos. Esa es la gran lección de esta elección. Los ciudadanos no nos dan apoyos incondicionales; nadie tiene escriturados los votos. Si hacemos un buen gobierno en el Distrito Federal y como partido representamos con dignidad a los ciudadanos, vamos a seguir teniendo éxito; si no, fracasaremos».

Seis años después, él mismo se postula como candidato a gobernar el DF. Sus opositores temen que consolide a la izquierda en la capital de la República, que ha votado a la izquierda siempre, es decir, desde que dejan a sus ciudadanos elegir autoridades. Ya desde 1988, Porfirio Muñoz Ledo había dicho:

–Nos pueden hacer fraude –refiriéndose a Salinas de Gortari– pero tenemos la capital de la República. Ningún movimiento en la historia de México ha tenido, primero, la capital.

Es cierto, las otras tres transformaciones son agrarias y armadas. La Independencia comienza en la zona de Guanajuato y Michoacán, la Reforma avanza desde Ayutla, Guerrero, hacia la Ciudad de México, y la Revolución viene del norte. Esta parece ser urbana y pacífica. Es lo que ahora llamamos la Cuarta Transformación.

Desde el inicio, a este López Obrador dirigente se le teme más que al líder que confronta. Ese es el dirigente al que se le tratará de sacar de la contienda, primero por el DF y, después, por la Presidencia de la República. En el primer caso, en el 2000, el PRI y el PAN argumentan que es tabasqueño y que no puede acreditar su estancia en la Ciudad de México por más de tres años seguidos.

La propia historia de López Obrador en la Ciudad de México data de su vida en los alrededores de la Ciudad Universitaria, en los departamentos de interés social y, aun, en las azoteas. Desde que es alumno de la Facultad de Ciencias Políticas y Sociales, el tabasqueño ha vivido en la ciudad y la historia de por qué no soportó durante un buen tiempo la sopa se debe a que era lo único que podía pagar cuando estudiaba. Pero busca el gobierno de la ciudad porque le parece estratégico para construir desde ahí el cambio democrático en el resto del país. «Son tiempos de arriesgar», les explicó a los reporteros. De la campaña por el gobierno en el DF data su frase «Por el bien todos, primero los pobres». Es una frase que tuvo la resistencia de la derecha que sintió, tan sólo porque en ella se mencionaba a los más pobres, que Andrés Manuel iba a acabar con los ricos. No es verdad. López Obrador sabe que existen dos fines de los grupos de izquierda, dos izquierdas: la que quiere acabar con los ricos y la que busca acabar con la pobreza. En el caso de López Obrador, el objetivo es mucho más mesurado: busca aminorar las desigualdades.

El dirigente, como jefe de Gobierno electo de la capital, comenzó retomando una figura de la democracia municipal del Virreinato, el bando que, en su origen, era la forma en que el Ayuntamiento le comunicaba a las autoridades municipales órdenes y avisos. Los bandos de López Obrador buscaban plantear una ruta de acción a la Ciudad de México en temas que no debían esperar a la deliberación. Fueron nueve temas urgentes, para ser enfrentados antes del 31 de diciembre de 2000:

1) Limpiar la corrupción en la Tesorería capitalina, debido a que existen 753 denuncias penales por desvío de recursos públicos.

2) Prohibir la construcción de más desarrollos habitacionales en el sur y oriente de la ciudad para frenar el crecimiento urbano «anárquico» que presenta la capital. La medida aspira a repoblar la zona centro de la capital.

3) Impulsar el crecimiento económico del DF con el desarrollo del corredor turístico Catedral-Basílica de Guadalupe. En principio, establecerá el fideicomiso Villa de Guadalupe, cuyos fondos servirán para hacerla más atractiva para el turismo nacional e internacional.

4) Obtener mayores recursos para la capital mediante la reducción de 50 por ciento en gastos de publicidad y 15 por ciento en los salarios de funcionarios de alto nivel. La medida incluye la disminución en gastos por concepto de líneas telefónicas, energía eléctrica, combustibles, viáticos y el arrendamiento de inmuebles.

5) Descentralizar la Policía Preventiva hacia las 16 delegaciones políticas. Para tal efecto, López Obrador envía a la Asamblea Legislativa del Distrito Federal (ALDF) una iniciativa que pretende modificar el Estatuto de Gobierno, que concede al presidente de la República la facultad para decidir en materia de seguridad pública en la capital. También aspira a reformar la Ley de Seguridad Pública. En caso de que la ALDF apruebe la enmienda, ésta pasaría más tarde a la Cámara de Diputados, la que finalmente resolverá si procede o no.

6) Establecer programas en materia de prevención y atención coordinada de las contingencias tan comunes en la capital, como los sismos, los incendios y las inundaciones. Para ello, ordena la creación de la Coordinación Interinstitucional de Protección Civil.

7) Transparentar las finanzas del gobierno del DF. A partir del 14 de diciembre del 2000, los ciudadanos podrán

consultar el manejo financiero del Gobierno de la ciudad a través de su página de Internet.

8) Para tratar de aminorar la emisión de gases tóxicos al medio ambiente de la ciudad, se prohíbe la instalación de nuevas gasolineras en cinco delegaciones: Azcapotzalco, Benito Juárez, Cuauhtémoc, Miguel Hidalgo y Venustiano Carranza, pues son las que cuentan con más estaciones de este tipo. Las once demarcaciones restantes deberán ajustarse al nuevo Reglamento de la Ley Ambiental del Distrito Federal.

9) Para frenar el crecimiento del parque vehicular, se notifica que en los próximos tres años no se otorgarán más concesiones para taxis. Se combatirá la circulación de «taxis piratas» con la coordinación de la Procuraduría capitalina, la Secretaría de Seguridad Pública, la de Transportes y Vialidad y el Instituto del Taxi.

Pero es la pensión de mil quinientos pesos a los adultos mayores, entregada de forma universal –basta con la edad– la que genera una crítica y acusaciones de que se trata de «tirar dinero público». López Obrador responde desde su podio descarapelado del Ayuntamiento, al lado de un pequeño busto de Francisco Zarco:

«Todo lo que se hace en beneficio de los pobres, lo tachan de populismo, de paternalismo, y todo lo que se hace por los ricos, lo llaman fomento o rescate. Prefiero dedicar mi tiempo a construir una alianza con los ciudadanos porque es la que me va a dar la base de sustentación. Es un error que la izquierda esté pensando en construir alianzas con los de arriba, en quedar bien con los que forman opinión pública. Con ello no quiero decir que no hay que hacerlo, sino que lo primero es tejer acuerdos, pactos, con los de abajo».

Con esa base de sustentación en temas que son urgentes para gobernar –transparencia, atacar la corrupción, orientar la construcción de vivienda hacia el Centro Histórico, reorganizar a la policía y aminorar el uso de los automóviles como transporte público–, el jefe de Gobierno se opone, desde el inicio, a la construcción de un nuevo aeropuerto publicitado en 2001. Se enfrenta con varios oligarcas del negocio de la infraestructura y con el propio presidente Fox. El 29 de marzo de 2001, Andrés Manuel López Obrador argumenta que, después de estudiar, analizar y discutir detalladamente las dos opciones –Texcoco y Tizayuca– con los grupos intersecretarial e interdisciplinario encabezados por el secretario de Obras, César Buenrostro, y de escuchar opiniones de académicos, ecologistas y urbanistas, «el gobierno del Distrito Federal considera que no es conveniente la construcción del aeropuerto en Texcoco». Desde entonces emprende una batalla mediática para denunciar las maniobras interesadas en construir un aeropuerto en una zona cuyas tierras han adquirido los especuladores inmobiliarios para vendérselas en miles de millones al gobierno. El terreno de Texcoco, además de hundirse porque está en lo que fue parte de la cuenca lacustre de la ciudad, cambiará la humedad, la temperatura y la calidad del aire en todo el Valle de México. Como vocero de sus representados, López Obrador le dice al presidente Fox que no, que no se construirá donde se ha empezado a especular con las tierras de pueblos de floreros como San Salvador Atenco. Y propone una alternativa respaldada por ingenieros de la UNAM, en Hidalgo.

Con el hombre más rico del mundo en ese momento, Carlos Slim, el trato es negociador cuando Andrés Manuel López Obrador tuvo noticias del interés del dueño monopólico de la telefonía y sus cables para invertir en dos grandes proyectos ecológicos, uno en la delegación Cuajimalpa y el otro en la de Tlalpan. El jefe de Gobierno buscó de inmediato al presidente del Consejo de Administración del Grupo Carso para proponerle que, si tenía intenciones de invertir parte de su fortuna en la capital del país, lo hiciera en el corazón de ésta, en el Centro Histórico, en cuya área patrimonial, de 9.7 kilómetros cuadrados, existían más de mil 500 edificios y 63 plazas catalogados como patrimonio histórico, y 9 mil predios abandonados, subutilizados o en condiciones ruinosas.

Carlos Slim había empezado en las tiendas de telas de su familia libanesa en el centro de la ciudad y, durante años, había pertencido al Patronato del Centro Histórico, una instancia de deliberaciones casi metafísicas sobre el destino del área. La condición que Slim puso para participar ahora como inversionista del proyecto de López Obrador, fue que el presidente Fox diera su beneplácito. El empresario sabe el juego de los cortesanos. Andrés Manuel necesitaba el dinero privado porque le habían impuesto una austeridad «republicana» al ejercicio del presupuesto público. Slim era indispensable, así que López Obrador volvió a diferenciar fines y medios. A lo que había sido una confrontación verbal entre el presidente y un afán por diferenciar ambos estilos de gobernar –el humilde automóvil frente a las toallas de 400 dólares–, le siguió una tregua en las declaraciones ante la prensa. En ese momento, López Obrador entendió que el interés del repoblamiento del Centro Histórico era mayor que el de su propia candidatura a la Presidencia. Se negó a opinar sobre lo que hacía Vicente Fox e incluso dijo que se debía proteger la investidura presidencial:

«Si hacemos leña la silla presidencial, no quedará en dónde sentarse luego», bromeó y no.

Según el Programa para el Desarrollo del Centro Histórico, en los últimos 20 años, la zona había perdido la tercera parte de su población, unos 100 mil habitantes. El fenómeno obedeció, en parte, al deterioro de los inmuebles por su antigüedad, en combinación con la ausencia de mantenimiento; la pérdida progresiva de vivienda de alquiler; los cambios en usos de suelo que favorecen a comercios, oficinas y bodegas; la inseguridad pública y la mayor accesibilidad económica para adquirir vivienda propia en la periferia metropolitana. Uno venía a este Zócalo después de las ocho de la noche y parecía una escenografía de cine: desierto, sin luz, lleno de cortinas de metal de los comercios que ya habían cerrado. Nadie vivía por aquí antes de López Obrador y su trato con Slim: sólo tenía 200 mil habitantes, de los cuales una tercera parte vivían en departamentos de un solo cuarto. Diez por ciento del total de pobladores del centro estaban viviendo dentro de edificios de alto riesgo desde el terremoto de 1985. Muchos de ellos estaban ahí refugiados, pagando rentas a dueños que no tenían el dinero para demoler sus edificios y volverlos a levantar. Nadie quería comprar esos inmuebles que todos habíamos visto desplomarse en medio de cascadas de polvo en el terremoto.

A partir de los sismos de 1985, unas dos mil organizaciones de sin-casa y unas quinientas familias provenientes de comunidades indígenas avecindados en la capital, dormían en 300 predios ocupados.

Treinta por ciento de la población actual del Centro Histórico habitaba vecindades, cuartos de azotea o «cuartos redondos», y el 11 por ciento tenía baños comunes, de pasillo. Era la ciudad de los pobres a penas en situación de supervivencia y, por supuesto, ninguno de esas 200 mil personas era sujeto de crédito.

De acuerdo con el diagnóstico entregado por López Obrador a Carlos Slim, en las zonas oriente y norte del Centro Histórico se concentra la población de escasos recursos y el comercio de mayoreo y de productos domésticos. Ambos puntos son, precisa, las zonas más densamente pobladas, pues ahí conviven entre 300 y 450 habitantes por hectárea.

Al mismo tiempo que López Obrador convencía a Slim de invertir en el centro de la ciudad, no olvidaba sus dos compromisos: eliminar la corrupción y atender la pobreza, dos ejes que siempre ha visto vinculados: lo que se ahorre tapando boquetes por donde se van los recursos públicos, se invierte en programas sociales que aminoren la desigualdad. López Obrador le ahorró al Gobierno de la Ciudad de México 4 mil 200 millones de pesos, con los que financió el programa base de su gobierno: «Por el bien de todos, primero los pobres», el cual incluyó atención gratuita en hospitales, entrega de medicamentos sin costo y un bono de 636 pesos mensuales a los ancianos mayores de 70 años; becas para madres solteras y discapacitados; microcréditos diferenciados para desempleados, créditos para construcción y ampliación de vivienda y autoempleo; capacitación, vales de despensa a madres solteras para compensar el aumento de la leche de Liconsa y subsidios en servicios y transporte a la población vulnerable).

___

En medio de la atención, los aplausos y los silencios de la multitud en el Zócalo el primero de julio, Andrés Manuel sigue diciendo:

Cambiará la estrategia fallida de combate a la inseguridad y a la violencia. Más que el uso de la fuerza, atenderemos las causas que originan la inseguridad y la violencia. Estoy convencido de que la forma más eficaz y más humana de enfrentar estos males exige, necesariamente, del combate a la desigualdad y a la pobreza. La paz y la tranquilidad son frutos de la justicia.

La ley no es la justicia

Andrés Manuel sabe que la ley y la justicia rara vez son lo mismo. Así, en México se viven dos realidades: si uno es poderoso, es totalmente impune; si uno no tiene poder, será permanentemente humillado por las instituciones. La cuestión que ha hecho crisis en estos años de guerra contra el crimen organizado es el uso de las leyes para favorecer a los poderosos y encarcelar a los indefensos. López Obrador representa a estos últimos. Si algún impacto tuvo el desafuero al que fue sometido en 2003 fue para fortalecerlo. Llegados a este punto, el cronista recuerda lo que sucedió en esos días.

A continuación... el desafuero

Lo primero que sorprende es la acusación contra el jefe de Gobierno: un terreno baldío que es vendido tres veces de 1943 a 1947 a tres personas distintas, termina por convertirse, 60 años después, en un debate en el que ley y justicia no parecen la misma cosa. En él intervienen abogados que no existen, propietarios múltiples, los habitantes de 12 colonias entre Ermita Iztapalapa y Periférico Oriente que cuentan con escrituras, un regente y tres jefes de Gobierno, un senador abogado, una juez, el presidente de la Suprema Corte de Justicia, una familia que se opone a que sólo uno de los nietos del comprador original cobre una indemnización por un terreno que muy probablemente no le pertenece a su familia. En el centro queda, sin duda, el personaje que para la gente encarna López Obrador: habló, con fotocopias en las manos, seleccionando los datos que servían a su causa, y se convirtió en el único actor, pues lo demás pertenece al territorio del secreto. Ese funcionario enconchado, de trajes negros, que vela por los intereses de la moral pública en público y cada mañana, pasó a convertirse en pocos días en el justiciero que acaba de abandonar la máscara y el cuadrilátero –la versión burocrática de Superbarrio cuando ya llegó al poder–, un olfateador de la opinión pública, un místico de la honestidad como severidad, un operador hábil de la política barrio por barrio –los medios son la colonia que mejor conoce–, un hombre bonachón que puede parecer inflexible. El Paraje San Juan, como ningún otro tema en la Ciudad de México, ha lanzado la figura de López Obrador a distancias inalcanzables por político alguno. Ya no es sólo un político. Es el hombre que, para cualquier contingencia –la ciudad de 20 millones como accidente de la demografía–, tiene un plan a la mañana siguiente y que, sin duda, ha logrado convencernos de que tiene en la cabeza un plan loco: si la Ciudad de México es viable, también lo será la política. No existe más actor en el extenso Paraje San Juan. Al final de los combates, quedó ahí, de pie, un poco enredado en las responsabilidades –firmó la petición para un avalúo–, pero con el aplauso de la mayoría por hacer público un secreto de 35 años.

Con ustedes... Los fantasmas

El mayor de los misterios que le permitieron a López Obrador acabar en un monólogo, es el del abogado que está detrás del nieto de uno de los tres dueños de la misma tierra, Arcipreste Nouvel. Debe haberse sentido el más grande de todos los abogados, aquel licenciado que recibió en su despacho de Santa Fe –bocadillos en la sala de espera– a un grupo de huidizos personajes a los que aceptó ayudar para recuperar el dinero de un lugar expropiado por la Ciudad de México hace 14 años. El licenciado tuvoque ser también alguien que no se arredrara ante la cantidad que los sujetos, repentinamente convertidos en clientes, esperaban como indemnización con recursos de la Ciudad de México.

–Serían mil 810 millones.

Lo que para cualquier ciudadano está más cerca de la fecha del inicio de la independencia que de una cantidad de dinero, para el abogado, acostumbrado a esas y otras transacciones, debió parecerle apenas lo ideal:

–Es justo –dijo, y estrechó manos.

Se miró en el espejo del baño de su despacho. Era el Amo del Universo, acostumbrado a nadar entre apretones de manos, torceduras de muñecas, sobornos, favores a cambio de sentencias. He de decir que el abogado debía tener también cierto encanto. No, qué digo encanto, debía ser La Máquina Encantadora, pues no perdía caso alguno, aun cuando su cliente fuera cazado en Aruba por la Interpol y traído como un simple reo esposado y dentro de una camioneta blindada. Sus clientes, defraudadores del erario, prestándose dinero a sí mismos, depositándose parte del presupuesto a sus cuentas, falsificando escrituras para adueñarse de terrenos, nunca pisaban la cárcel.

Era el Amo de los Juzgados. No sabemos su nombre, pues a quienes se ha mencionado como posibles representantes legales del grupo de señores a indemnizar, al exprocurador panista de la bruja y la osamenta, Antonio Lozano Gracia, a su socio Juan Miguel Alcántara, o a Diego Fernández de Cevallos, todos han desmentido su participación. El senador Fernández lo hizo llamando al jefe de Gobierno «payaso».

Así que, por principio de cuentas, el de esta historia es un abogado fantasmal, apenas un movimiento tras bambalinas. Pero los recibió, aceptó representarlos, movió sus influencias. Provocó que la juez Gabriela Rolón ordenara que, en 24 horas a partir de su fallo, la Ciudad de México perdiera mil 810 millones a favor de un puñado de personajes.

La transa polimorfa

Todo, según la única versión pública, había comenzado en 1975, cuando empezó a hablar de los asentamientos irregulares en el Paraje San Juan, en Iztapalapa. Santa Cruz Meyehualco, el tiradero de basura, es, sin duda, su más famosa colonia. Sin servicios urbanos y con una creciente población marginada, era sólo cuestión de tiempo para que el gobierno expropiara a favor de los vecinos esas tierras. Es en ese mismo año cuando Arturo Arcipreste Nouvel registra un contrato de compra-venta privado con firmas falsificadas tanto de su papá, Fernando, muerto en algún año anterior a 1940, como de un juez de paz de Iztapalapa; 30 años después de la supuesta compra, debía falsificar la firma de su papá porque el contrato tenía fecha de 1947. ¿Por qué no falsificó uno con alguna otra fecha, por ejemplo, 1939? Los nervios, quizás y, más seguramente, la certeza de que en 1975, como ahora, el dinero hábilmente repartido acarrea sentencias favorables. Arturo Arcipreste estableció en su contrato que las tierras de las cuales era propietario sumaban 298 hectáreas, «de las cuadradas». Hectáreas cuadradas, y eso podía subir a 300 o más, porque agregó el adverbio «aproximadamente». Y las registró ante un juez de paz y no ante un notario público, como se hacía en 1947, cuando las cosas valían más de 500 pesos. Pero qué importa.

Eran los años de la regencia poco pulcra de Octavio Sentíes. La ganancia privada y veloz a expensas del dinero público se defendía con puro cinismo acrítico: «El que no transa, no avanza». Un tipo de complicidad en el que se defendía el imperio de la ley de los «sediciosos» mientras sus secretarias depositaban el erario en la cuenta del Señor Licenciado. Como en un cuento de Italo Calvino en el que un pueblo vive en equilibrio al asaltar la casa del vecino de al lado todas las noches, la corrupción se veía como una forma de ligar a las élites en el poder, de servir como un mecanismo de compensación a los bajos salarios, de funcionar como un «atenuante» del autoritarismo: No hay libertad sindical, pero libertad para robarse las cuotas, cómo de que no. Como acuñó el Negro Durazo: «Une más el delito que la amistad».

El curso de López Obrador sigue. Unos meses después, apenas en septiembre de 1975, le aparece un competidor a Arturo Arcipreste, Gabriel Pérez, uno de los tres dueños originales. Arturo le promete comprarle los derechos por 100 mil pesos, pero Pérez le cede la mitad de su posible indemnización a un caballero llamado Arturo Arciniega Cevallos, quien se encargará del litigio. Pérez muere 12 días después. Al tiempo, aparece el tercer dueño y aparentemente el primer comprador del Paraje, Efrén Salgado. Éste y Arcipreste Nouvel llegan a un acuerdo en el que un nombre nuevo en la historia, Ricardo Acosta Jaime, se quedará con 80 por ciento de la indemnización. ¿Quién es Acosta? Es otro fantasma. Se reproducen los dueños y Arturo va convenciendo a las autoridades jurisdiccionales de que su contrato es la única prueba de que existió alguna vez un dueño del Paraje San Juan. No existe registro de este contrato porque la foja correspondiente «ha sido arrancada».

Y que viva México.

La pandilla como origen
de la Sociedad Anónima

El 24 de julio de 1989, bajo la regencia de Manuel Camacho, se valida a los propietarios y se expropian los terrenos del Paraje San Juan. Aparecen propietarios con escrituras inscritas, más de mil 600 ejidatarios. Se propone un fideicomiso para financiar el pago de una posible indemnización, pero éste jamás se instala. Suponemos que los litigios continuaron y en el camino se fueron ligando a la idea una serie de personajes. Para el 6 de mayo de 1997, ya eran diez. Sus nombres pueden no decirnos nada, pues se trata de firmas cuya identidad cumple con el primer requisito de la corrupción: el secreto. Lo poco que sabemos de los que nos quitarían mil 810 millones se agrega a la cadena de agravios: son inaprensibles.

El más emblemático quizá sea Rafael del Castillo, culpable de que no hayamos participado en el Mundial de Futbol de 1990 en Italia, porque falsificó las actas de nacimiento de unos jóvenes futbolistas para que cumplieran con la edad requerida. Cirugía plástica de escritorio, el conocido caso de Los Cachirules, o de los señores disfrazados de cuento infantil, ajusta plenamente con la costumbre de falsificar papeles oficiales cuando la realidad falla. Del Castillo no firmó el contrato en el que se repartían por adelantado la indemnización, sino que alguien más lo hizo «por poder». Otro no menos circunspecto es Joaquín Ávila, de 51 años, un arquitecto que había trabajado como funcionario en la delegación Iztapalapa desde 1977, hasta que es corrido en 1991 por «malas notas». Reapareció este 1 de octubre como funcionario de Obras en la delegación que dirige Miguel Bortolini: Coyoacán. La pandilla cuenta, además, con un mecanógrafo del Ministerio Público, Roberto García, de 40 años. Con un abogado, Jorge Martínez Carrillo, que trabajaba justo en la entonces

Procuraduría General de Justicia del Distrito Federal (PGJDF) en el sangriento año de 1971, y antes en Acción Social, donde Los Halcones estaban inscritos formalmente. Renuncia a su cargo de inspector en Iztapalapa en 1977 «cuando al salir de esta delegación fui detenido por agentes de la Dirección General de Investigación para la Prevención de la Delincuencia». Reaparece una vez más –a diferencia de la guerra, en la política te pueden matar varias veces– como asesor del regente Ramón Aguirre durante seis meses.

Los imagino celebrando cuando la última instancia, la inapelable, el Tribunal Superior de Justicia decidió que, en efecto, la ciudad debería pagar a estos diez sujetos que contaban con un contrato falso y un abogado imperceptible. Y supongo que los once se abrazaron y todos pelearon por no pagar la cuenta del restaurante.

Preste para el Arcipreste

Lo que plantea el jefe de Gobierno de la Ciudad de México es, entonces, que la legalidad y la justicia siguen siendo dos caminos distintos. Los jueces deciden formalmente el problema y la opinión pública se agrupa en torno al escándalo de lo intolerable. El asunto crece en los bordes de la sospecha: no entiendo nada, pero si no se castiga a alguien, nos seguirán robando. Lo que hace López Obrador es plantear, también, la pregunta de si los políticos debieran sólo aplicar y obedecer la ley o deben, además, responder a una ética de la responsabilidad, la responsabilidad de las consecuencias.

La corte inapelable decidió con demasiada rapidez, tanto acerca de las demandas fantasmales de indemnización como a negarle al jefe de Gobierno el derecho a plantear sus pruebas. López Obrador no discute la legalidad de la decisión en cuanto a formalidad, sino la posibilidad de que se esté practicando una lesión al futuro de las finanzas de la ciudad con un acto de falsificación. Y el jefe de Gobierno, obligado por la ley a acatar el pago, se rebela mostrando una conciencia mayoritaria: los actos de corrupción entre autoridades y particulares no tienen la misma dimensión que las cometidas por el ciudadano común. En el caso de jueces, políticos o empresarios, sus delitos funcionan como «ejemplos» para el resto. López Obrador se mira a sí mismo, más que como un funcionario, como un «ejemplo». Sabe que lo hemos vivido: los índices delictivos en la Ciudad de México nunca estuvieron tan altos como cuando se hizo el rescate bancario. El asaltante y el secuestrador privatizan: se escudan en que rigen las leyes del agandalle y quieren ser los Cabales Peniches de sus barrios. Lo de Arcipreste se presenta como una «privatización» de expedientes: «Usted no se haga el héroe y preste, pero ya». Que no se «haga el héroe» es lo que le pide el senador-abogado al jefe de Gobierno.

Los de abajo

Las calles de las 12 colonias de Paraje San Juan son laberínticas. Construidas bajo la ley de fincar donde sea, vendidas dos, tres veces a distintas personas, dan vueltas sin orden. Físicamente reflejan el otro laberinto, el legaloide, el de las ventas múltiples. Una calle, Agustín Melgar, sólo es accesible por dos calles, por lo que hay que rodearla para ir de un número a otro. Para los habitantes del Paraje San Juan, el litigio entre jueces, políticos, abogados ricos y burócratas influyentes resultó una sorpresa: jamás han visto a alguien apellidado Arcipreste y ellos aseguran que esas tierras eran ejidales, pertenecientes al pueblo de Santa Cruz. Un anciano recuerda haberlo conocido:

132

«Se presentó un Arcipreste a una asamblea. Era pobre y vivía en Tepito».

Un decreto de Cuauhtémoc Cárdenas benefició a la mayoría de tener que pagar la famosa indemnización, pero algo pasa que siguen sin poder hipotecar sus lotes o darlos en garantía para créditos, pues pende esa carga sobre ellos. Y con la decisión del ministro Mariano Azuela, se sintieron amenazados.

Los integrantes de la Asociación de Residentes del Paraje San Juan se han manifestado a las puertas de la Corte y en el Zócalo. Entre ellos, dos reconocibles vecinos del paraje, la asambleísta Aleida Álvez, miembro de la Unión Popular Nueva Tenochtitlán (UPNT) de René Bejarano y Dolores Padierna, sobrina de un guerrillero de los setenta, Ramón Pérez Álvez. A su lado, José Jiménez, «El Frijol», uno de los líderes más antiguos del Frente Popular Francisco Villa, uno de los que recibió a los mil 111 zapatistas en 1998, en otra época, asesor de los campesinos en Atenco y ahora asambleísta del DF. No son gente con la que se quiera jugar a las vencidas.

Dentro del recinto de Donceles de la Asamblea del DF, Aleida Álvez recuerda su llegada al Paraje:

—Rentábamos en la Condesa, pero después de los sismos de 1985 tuvimos que mudarnos. Y mi padre compró un terreno en el Paraje. Nos fuimos a meter a la obra negra y fuimos construyendo. Y así le hicimos todos. Yo siempre regresaba a mi casa por una calle y, un día, la calle ya estaba bloqueada por una construcción. Así se hizo esa colonia.

La organización vecinal del Paraje jugó un papel fundamental en la expropiación de 1975 y en la lucha de décadas por servicios públicos. Y Aleida sigue con su historia que es como la de toda la ciudad que se hizo sola, la cual sustituye con corporativismo las omisiones de la autoridad, cuyo radicalismo es la ideología de la desconfianza.

133

La transa que cansa

López Obrador logró construirnos una imagen del expediente del Paraje San Juan como producción de legalidad formal: firmas, sellos, nombres, fechas. La formalidad ciega que nos presentó es rigorismo, literalidad simplona que extiende acta de realidad a lo que consta por escrito, aunque sea falso. En la justicia mexicana, constar en el expediente es existir. López Obrador, encarnando a ese personaje que defiende su ética en público, se convierte en dos semanas en el único *vivo* de esta historia. Camina hacia los tribunales, se niega a pagar, se indigna, dicta una cátedra sobre corrupción ante los reporteros, no le responde al presidente de la Corte cuando llama a su ejercicio de gobierno «democracia populista». Sobre el pódium desde el que da sus conferencias diarias, un reportero puso una manzana. Adentro, logró que todos imagináramos a los gusanos que la devastaban.

Un año después, Andrés Manuel es acusado por el procurador del presidente Fox de desacatar una orden para que suspenda la construcción de un camino que llega a un hospital. Como el jefe de Gobierno de la capital se niega, le quitan el fuero para acusarlo y, quizás, encarcelarlo. Este episodio vergonzoso fue aceptado años después por el propio Vicente Fox. Pero empecemos por el final.

El muchacho y el presidente

En tan sólo cuatro días, la Marcha del Silencio, la que organizamos espontáneamente los capitalinos en defensa de nuestro gobernante electo, triunfó sobre lo peor del sistema de justicia mexicano —el que aplica la ley con automatismo y literalidad—,

134

refundó la desconfianza generalizada que se le tiene a los diputados que actúan con lealtad a sus partidos y se asomó cierto sabor a pastelazo cuando dos de ellos, atónitos ante el pago de la fianza al jefe de Gobierno de la ciudad «para que no suba en las encuestas al estar en la cárcel», se tuvieron que esconder de un grupo de familiares de presos que los perseguían para que les pagaran todas las fianzas, las de todos esos presos que en «el Estado de derecho» no tienen el dinero para la liberación. Por último, le estalló al presidente de la República en un acto en Oaxaca. Un estudiante de derecho sostenía una pancarta hecha a mano cuya imagen difundió la propia Presidencia: «Fox, traidor a la democracia». El presidente se acercó a tratar de convencerlo de que él personalmente no había participado ni de los actos de su procuraduría ni de los diputados en el desafuero. Y lo que había sido hace unos meses «la decisión más difícil de mi gobierno» se convirtió en un azorado «¿Y yo por qué?».

Al día siguiente, el mismo Fox que encaraba airado al muchacho, despedía a los mandos de la procuraduría. Me gusta pensar que, aunque seguramente no fue así, ese estudiante oaxaqueño cambió el rumbo de la estrategia para sacar a López Obrador de la contienda de 2006. Esa idea de que un joven solitario puede cambiar con una acción pacífica el desenlace anunciado desde 18 meses antes, con lo del Paraje San Juan, pertenece a ese tipo de ficciones en las que a muchos nos gusta creer aunque sepamos que son mentiras despojadas de la obligación de parecer verdades. No fue el muchacho, pero sí los cientos de miles que marchamos en silencio, a veces, en gritería indignada, las más. La marcha del millón, sin embargo, mandó muchos más mensajes que la simple exigencia de un cambio de actitud de la Presidencia: fue pacífica, creativa y contundente, pero sobre todo fue antifoxista.

Y al regresar de la pausa: la ciudadanía

Podría decirse que un millón de personas caminan bajo el sol del domingo en silencio. En algún lugar de la marabunta a alguien se le ocurrió fabricar un Caballo de Troya con unos huacales de mercado. Somos, de acuerdo con este escultor instantáneo, los troyanos tratando de traspasar las murallas de la sordera del gobierno de Vicente Fox y sus jueces. Se piensa entonces en un poder amurallado con toallas costosísimas que sólo puede ser penetrado por un caballo de madera. La señora encargada de las explicaciones no deja duda:

–Hay que llegar hasta ellos porque no nos están escuchando.

Pero la Marcha del Silencio no se desenvuelve como una manifestación del duelo, ni siquiera por sentirse excluidos del país que «dio un ejemplo de legalidad» con el desafuero de un gobernante electo. La Procuraduría ha sido derrotada por primera vez, menos de día y medio antes –el juez regresando el expediente por culpa de la aceptación «oficiosa» de la fianza de los diputados atónitos del PAN–, y los marchantes lo sienten con un sentido de victoria inicial. Al verse cientos de miles juntos con frases en pancartas necesariamente improvisadas –el opuesto de la consigna de los organizados– que varían en nivel de ingenio, desde ponerle el nombre del subprocurador Vega Memije a un perro callejero hasta la cartulina en la Suprema Corte de Justicia pro Jennifer López y los demás López del mundo («JLo está con AMLO»), los manifestantes avanzan con el clima de la ciudadanía: todos somos iguales, nos oponemos a la democracia tutelada que decide quién es elegible. Y en el apretujamiento, que por momentos es el empujón de dos mil contra cuatro mil en una esquina, la ciudadanía se crea en el cuerpo a cuerpo, en las indicaciones pacificadoras:

–Poco a poco, señores, y vamos avanzando todos.

En 16 de Septiembre quedé tan apretado a la estudiante de adelante que creo que tuvimos un hijo.

Breve bestiario del silencio

Hay que recordar que, a diferencia de la imagen publicitaria de Fox, a López Obrador no se le protege, y recaba simpatías sólo al ser el hombre común, inculpado sin razones –Peje El Toro es la fórmula que los lleva a arrastrar un astado de cartón por todo Reforma cuando el «nosotros los pobres» tiene continuación en «primero los pobres»– y el hecho de que los furiosos perseguidores de Andrés Manuel López Obrador le disminuyan llamándole «El señor López» , sólo lo hace un hombre común, el ciudadano en el que la gente ve un signo más de identidad: «Todos somos López», dice una hoja de papel pegada sobre un bebé.

Los López son los que esperan horas en la sala del Ministerio Público, hacen fila en la ventanilla de la jubilación o se apretujan en el vagón subterráneo que nacionaliza el término «metrosexual».

El número es la primera victoria de esta marcha donde el color blanco ciudadano domina por mucho contra el amarillo perredista. Y el color es bandera: se percibe la confrontación, pero no se desea, y al PRD todas las distancias. Los diez kilómetros desde el Museo de Antropología al Zócalo son blancos. Sólo el Zócalo tiene banderas del perredismo. Ese es el otro triunfo: la sociedad civil es más grande que los videoescándalos que inculparon a secretarios del gobierno del DF en una trama de dinero en bolsas de plástico y apuestas en Las Vegas.

El tono de la persecución y el duelo se alteran cuando el Caballo de Troya es transformado en su contrario: un hombre disfrazado de Quijote se para a mi lado. La idea de traspasar una muralla se convierte en defensa de toda ficción del bien. El Caballo de Troya, de pronto, ya es Rocinante. No somos troyanos, somos Quijotes.

Del voto útil al veto inútil

La marcha es sobre todo antifoxista. Hay un hartazgo de un presidente percibido como superfluo, evadido del entorno mayoritario –todos los que no formamos parte de la Pareja Presidencial, que emula en nuestro imaginario, al Imperio de Maximiliano y Carlota–, manipulado por otros para construir un dedazo de los tiempos modernos: inhabilitar al opositor. Ya no designar a su sucesor sino palomear a los elegibles. Una mujer se ha pegado en la espalda una cartulina: «Fox: en tu rancho habrá tacos de lengua, pero no hay de sesos». El presidente es el cantamañanas del siete por ciento de crecimiento, el bobo que aconseja el analfabetismo como forma de la felicidad, el malintencionado que llegó al poder sólo para conocer al Papa. Su figura es la más atacada por los asistentes: «Falso Ordinario Xeno-Peje», escribe el neologista. El encono contra el presidente es doble: no hace y no deja hacer. Se ocupa de un país en el que nadie de los presentes vive. La idea de la muralla que separa a los ciudadanos de la Pareja Presidencial la lleva un niño sostenida por un palito de paleta y con ella fulmina a Lewis Carroll si hubiera optado por empoderarse: «Votar por AMLO para que Alicia se vaya de Los Pinos». Este millón busca la locura del Quijote y se opone a los sueños de absurdo y paradoja de Alicia. Ir hacia una salvación, aunque sea por una lectura errónea, antes que permanecer en el sin sentido de un país en el que, como dice la reina que condena a Alicia, «la sentencia antecede al veredicto».

En una carcacha estacionada sobre 5 de Febrero se lee: «Juanito dice: Todos al Zócalo, todos con Obrador. Salida del microbús a las 7 y media. Sí, en casa de Juanito. El PRI y el PAN sí tienen fuero, lo que no tienen es madre, Juanito dice». Quien escribió con pintura blanca en los cristales de la carcacha sintetiza el ambiente relajado y relajiento de la protesta: Juanito tiene una opinión y convoca a quienes saben dónde vive a irse juntos para protestar. Los cita tres horas y media antes de que salga la marcha. Quizás viven muy lejos del Zócalo o acaso no quieren perderse una marcha que parece ser la celebración de lo que ya se impidió. En un país donde la Constitución es una aspiración, la ley debería empezar por aplicarse en salud, salarios mínimos, federalismo, educación, antes que en la dudosa inhabilitación de un señor electo. Eso es lo que Juanito dice.

«Ya que la infamia de tu ruin destino marchitó tu admirable primavera»

El frente de una marcha que no tiene frente y sí muchas retaguardias llega al Zócalo. El perredismo posesionado de la plancha visualiza al ubicuo Porfirio Muñoz Ledo y algunos corean: «Traidor, traidor». El político saluda con el envés de la mano. Si alguien encarna a la política como trapecio, contará después que su aparición fue casual, y que haya hablado en el estrado, una ocurrencia de última hora del propio López Obrador. Su discurso se perdió entre los silbidos que duraron diez segundos más que su alocución. El priismo del trapecio es el que no se le perdona a Porfirio, le venden cara su aceptación. El priismo de López Obrador –el del Instituto Nacional Indigenista y la campaña de Carlos Pellicer– se rescata por renunciar al PRI porque no lo dejaban ayudar a los indios chontales. Y es entonces que López Obrador habla y resuena algo que es, más que un apellido, una advocación: «Obrador, Obrador», el hombre de las obras, el que hace, el que logra hacer, a pesar de las trabas burocráticas.

Su discurso es el de un candidato la noche de la elección, pero lo más aplaudido no es su lista de compromisos con la estabilidad, sino el anuncio de que al siguiente día regresará a sus oficinas. Así como hay hartazgo del foxismo que se percibe como inmóvil, la molestia mayor aquí es que el jefe de Gobierno no esté en su oficina. El aplauso porque vuelve a su trabajo es un refrendo del voto que lo eligió y también una condena a que la mayor obra de la alternancia foxista sea la declaración de banqueta.

El paisaje después de la batalla

Podría decirse que el Caballo de Troya hecho de huacales de mercado fue lo único que quedó atrás cuando la marcha se desintegró. Frente a Palacio Nacional, en su doble sentido de traspasar una muralla de sorderas y de servir de montura al Quijote, el caballo es un indicio: un millón de capitalinos salió a la calle a gritar «no estás solo». Demandaron sobre todas las cosas que el poder les prestara atención. Lo consiguieron.

Esta noche, trece años después de esa marcha del 24 de abril de 2005 contra el desafuero, muchos pensamos en López Obrador, acusado de insubordinarse contra la disposición de un juez, sentenciado por una Cámara de Diputados leguleya y malintencionada, que torcía la ley para descalificar a un opositor, y recordamos su frase:

«Ustedes me juzgan ahora, pero la historia nos juzgará a todos».

No ha sido gracias a las leyes que se ha conseguido la Presidencia y la mayoría de las cámaras de representantes. Ha sido a pesar de la autoridad y porque salieron 30 millones a votar en bloque por él y su partido-movimiento. Hoy, no se necesitan Caballos de Troya ni Quijotes. Sólo nosotros. Somos, por primera vez, suficientes.

El discurso de Andrés Manuel sigue en el Zócalo. Su hijo pequeño, Jesús, se harta un poco, se para en un pie y en el otro. Su madre, Beatriz Gutiérrez Müller, lo mira con consideración. Ha sido un día larguísimo. Será larga la noche y no pienso en mañana:

A partir de mañana —resuena López Obrador que anuncia que se levantará temprano—, *convocaré a representantes de derechos humanos, a líderes religiosos, a la* ONU *y a otros organismos nacionales e internacionales, para reunirnos las veces que sean necesarias y elaborar el plan de reconciliación y paz para México que aplicaremos desde el inicio del próximo gobierno. Me reuniré todos los días, desde muy temprano, con los miembros del gabinete de Seguridad Pública; es decir, habrá mando único, coordinación, perseverancia y profesionalismo.*

Hace un silencio para tragar saliva.

Seremos amigos de todos los pueblos y gobiernos del mundo. En política exterior, se volverán a aplicar los principios de no intervención, de autodeterminación de los pueblos y de solución pacífica a las controversias. Y como decía el presidente Juárez: «Nada por la fuerza, todo por la razón y el Derecho». Con el gobierno de Estados Unidos de América buscaremos una relación de amistad y de cooperación para el desarrollo, siempre fincada en el respeto mutuo y en la defensa de nuestros paisanos migrantes que viven y trabajan honradamente en ese país.

Amigas y amigos:

Agradezco las muestras de solidaridad que he recibido de dirigentes y de organizaciones sociales, políticas y religiosas del mundo.

Ya hemos contestado las primeras llamadas de felicitación de jefes de Estado y de gobierno de algunos países. A todos, nuestro sincero agradecimiento y respeto. Debo reconocer el comportamiento respetuoso del presidente Enrique Peña Nieto en este proceso electoral. Muy diferente al trato que nos dieron los pasados titulares del Poder Ejecutivo.

Fue ejemplar la pluralidad y el profesionalismo de la prensa, la radio y la televisión. Los medios de información no fueron, como en otras ocasiones, correas de transmisión para la guerra sucia. También mi gratitud a las benditas redes sociales.

Amigas y amigos:

Reitero el compromiso de no traicionar la confianza que han depositado en mí millones de mexicanos. Voy a gobernar con rectitud y justicia. No les fallaré porque mantengo ideales y principios que es lo que estimo más importante en mi vida. Pero, también, confieso que tengo una ambición legítima: quiero pasar a la historia como un buen presidente de México. Deseo con toda mi alma poner en alto la grandeza de nuestra patria, ayudar a construir una sociedad mejor y conseguir la dicha y la felicidad de todos los mexicanos.

¡Muchas gracias!

¡Viva México!

¡Viva México!

¡Viva México!

¿De qué hablamos cuando hablamos de confianza? Básicamente es que el otro, sea tu mujer, hombre, representante, jefe, padre o madre, actúe como te ha dicho que lo hará. La confianza es un efecto de que el otro no varíe su conducta. Que nos de certeza de que, así como lo concebimos, permanecerá en el tiempo. Por lo tanto, la pregunta aquí es si el PRI traicionó alguna confianza. Si el PAN. La pregunta sobre la traición no es tanto el «qué», sino el «cuándo». En toda traición, doméstica o pública, lo que indigna y obsesiona es saber desde cuándo, cuánto tiempo ha sido el engañado objeto de burlas y secretos de los engañadores. ¿En qué momento fue traicionada la confianza? ¿En el instante en que se revela o en el momento en que se llevó a la práctica? Ese «cuándo» es la traición.

«Amor con amor se paga», una de las frases que Andrés Manuel le repite a los ciudadanos –«los amo, desaforadamente», sólo fue una vez, cuando evitamos el desafuero– establece una relación de confianza que se genera, primero, del lado de los electores. Hoy la gente no vendió su voto, no lo hizo a pesar del dispendio de recursos del Estado a favor de un candidato. A pesar de las presiones de ciertas empresas para que sus trabajadores no votaran por «la opción populista», los votantes, en su gran mayoría, no aceptaron venderse. Los medios comprados a todo vapor en la propaganda de la descalificación y la mentira, se rindieron unas semanas antes, respetando al puntero de las encuestas en cuyas manos estarán las revisiones de las concesiones de radio y televisión que se vencen en un año. La actitud omisa de la autoridad electoral no bastó para que 30 millones de votantes se hicieran paso a la Presidencia, las Cámaras del Congreso y las gubernaturas, incluyendo la de Veracruz. Se votó por quien es confiable, es decir, por quien no ha hecho lo contrario de lo que dice. ¿Cuándo fue la traición del actual presidente? Creo que fue en el aumento de la gasolina y la energía eléctrica, las dos promesas que hizo. Los bajos precios de los combustibles fueron la principal razón detrás de la privatización de Petróleos Mexicanos. Y, justo, el presidente aumentó los precios. Hubo otras traiciones. Se había prometido, también, acabar con la violencia, y el ritmo de homicidios, ejecuciones y desapariciones fue el mismo que durante el sexenio de Felipe del Sagrado Corazón de Jesús Calderón. La corrupción no fue una gran sorpresa. El PRI siempre ha sido cleptocrático. Pero los robos al erario, los contratos públicos otorgados a cambio de propiedades para la pareja presidencial, la fuga de los acusados, la inmovilidad de la justicia en el caso de los grandes desfalcos de Odebrecht, fue un exceso, incluso para una población acostumbrada a la generación de nuevos millonarios que cada sexenio, desde Miguel Alemán, aparece.

La traición es sentirse fuera. Eso lo aprendí cuando leí sobre Medea, la que mata a sus hijos. A la pobre mujer la recordamos como infanticida, pero nunca nos acordamos de sus razones. Medea se enamora de Jasón y, por lealtad a su amado, traiciona a su padre, a su hermano y a su ejército. Pero Jasón la utiliza, la engaña, la traiciona. La usa porque es una hechicera y sabe pociones para que él pueda huir de Grecia. Medea cree que los dos saldrán para casarse, pero Jasón la traiciona y se casa con otra, con una rica aristócrata, la heredera del trono del rey Creonte, Glauca. Herida por la traición, enloquecida y en venganza, Medea mata a sus propios hijos. Medea es una bruja que no sabe de la civilización griega. No sabe que, entre los griegos, la confianza y deslealtad son formas institucionales de actuar. Para Medea, Jasón es todo lo que existe y, cuando cae en cuenta de su engaño, es como si todo se hubiera destruido. Ni siquiera sus hijos sobreviven al desmoronamiento. La traición es sentirse fuera.

Este cronista no trae a cuento porque sí la historia de Eurípides. Durante la campaña electoral, la idea de la confianza se retrató en la metáfora del amor de pareja. Un video subido por el grupo «Abre los ojos» mostró a una pareja en las caricias preliminares al sexo. Cuando están a punto de desnudarse uno al otro, ella se cohíbe y dice:

–Antes de hacerlo, tengo algo que decirte.

–¿Qué? –jadea el novio.

–Voy a votar por Andrés Manuel.

El novio hace una pausa dramática, sonríe y explica:

—Yo también.

La imagen se difumina al momento en que ambos se arrojan con alegría sobre el sofá.

«El matrimonio —escribe Eric Fromm— es el triunfo de la expectativa sobre la experiencia». En esta elección se pensó en «la tercera vía como la tercera es la vencida», al menos, en dos sentidos: ya hemos probado al PRI y a la derecha del PAN que traicionaron nuestra expectativa de, por lo menos, seguir igual. A la tercera vía le han hecho fraudes dos veces. Probemos una expectativa más, que sólo ha sido experimentada por los que viven en el DF.

Para que una relación se sienta vulnerada es necesario que antes exista una disposición a creer que el futuro será, por lo menos, igual al presente. Es la idea de que los políticos deben ser más que sucesos, un estado, una condición. El sociólogo Niklas Luhmann definió así esa confianza: «Despertar una sospecha de manipulación, destruye la confianza. Aunque existen momentos y condiciones en que encontramos una manera de vivir con la sospecha e inmune a ella». Lo que hemos tenido para con el Gobierno es inmunidad a la sospecha, más que confianza. ¿Cómo se fue inmune a la sospecha de que la Presidencia de Fox provenía de un pacto con el PRI, que Felipe del Sagrado Corazón de Jesús Calderón era producto de un fraude electoral, y que Enrique Peña Nieto había salido de un cuarto de guionistas de la televisión? ¿Qué traicionó esa inmunidad?

Un estado como condición excluye la idea de la acción inesperada, hace de lo familiar —lo que conocemos como permanente— algo que se repetirá en el futuro. La postura semejante a sí misma en el tiempo lo separa de lo extraño, del suceso. La confianza, dice Luhmann, «reduce la complejidad de los sucesos con la expectativa de continuidad». Pero, en nuestro caso, la continuidad fue la del robo, los asesinatos, la incapacidad y el desdén de una oligarquía que mentalmente jamás salió de su terruño, Atlacomulco, en el Estado de México. En este país, el suceso somos siempre nosotros, los ciudadanos. Confiamos, no en ese sistema y sus reglas, sino en la capacidad de millones de votantes de darles un giro. Nos hacen sentir fuera quienes, desde los medios de comunicación comprados, nos repiten: «Así es la política, si no, para qué se meten». Una pluma, para mí incógnita, a pesar de escribir desde una revista reconocida, incluso nos pone adjetivos contradictorios: «Simples y pomposos». Otro dice: «Cretinos bien intencionados». Ante la pasmosa continuidad del fraude político –es mucho más que lo meramente electoral–, se acusa a los que confían en las potencialidades del suceso de no saber cómo son «verdaderamente» las cosas, cómo es el estado de las mismas. Como Medea, no somos griegos, sino hechiceros –se usa mucha descalificación con adjetivos religiosos–, estamos fuera del triángulo amoroso.

El Estado es el que siempre ha exigido nuestra más cara lealtad. A cambio de la promesa de certeza, le pagamos impuestos, nos comportamos con civilidad. Por eso su traición es tan sentida. La cultura priista repite el verso que escribió el cómplice de Shakespeare, Ben Jonson:

> Para los reyes, la traición es la mayor lealtad.
> No debe llevar el nombre de traición,
> sino de grave y profunda política.
> Todos los actos que parecen malos
> en aspectos particulares,
> son buenos en la regla universal:
> Seré honrado y traicionaré,
> para ustedes,
> a hermano y padre.

El voto moral, contrario al voto útil, no comparte con la cultura priista el que las cosas, las condiciones, deban seguir iguales. Un aliciente en medio de la campaña electoral llena de acusaciones contra López Obrador –la más criticada: cuando el vocero del PRI, Javier Lozano, usó la edad y el infarto para hacerlo parecer senil e incapaz para conducir un automóvil, en un anuncio del que se tuvo que disculpar–, fue el decir, como un mantra, «pero ya se van». La confianza, primero entre ciudadanos, y luego, hacia el candidato más confiable, es decir, al que atacaban los otros dos ya experimentados en la traición, se convirtió en un suceso.

«La ley, escribe Claudio Magris, debiera tutelar a los débiles porque los fuertes no necesitan de ella». Aquí y por el momento, esto no es así. La ley protege a los exgobernadores pillos, a los fraudulentos, a los cortesanos del patrón. Esa es la ley, las instituciones, a las que nos conminan a «respetar». La ley no es sagrada; puede llegar a sancionar lo inhumano, lo abominable, el despojo y la injusticia. Hoy, aquí en el Zócalo, nos mantenemos de pie ante las traiciones supuestamente «legales». Lo que votamos es moral, es decir, no sólo para que se apliquen las leyes sino sobre una serie de conductas que no son delitos: que no nos mientan, que no nos traicionen, que no roben, que no metan a sus amigos o parientes al gobierno, que cumplan con lo prometido.

Nunca he creído en eso que nos repiten de que «los pueblos tienen a los gobernantes que merecen». Eso siempre me ha sonado como el pecado original, es decir, a algo anterior a cualquier suceso, un estado inamovible. O como dice Kafka, en un apunte en su diario: «La acción es inocente. La culpa es ser». No estaría dispuesto a aceptarlo porque, a pesar de que se supone que fue por falta de dinero, a Ben Jonson lo enterraron de pie).

Se escucha al Zócalo, en pleno, brillante: ¡Pre-si-dente! ¡Pre-si-dente! ¡Pre-si-dente!

Me acuerdo entonces de unos versos de Pellicer:

La patria necesita hombres,
más hombres
que le hagan ver la tarde sin tristeza.
Hay tanto y lo que hay es para pocos.
Se olvida que la patria es para todos.
La patria debe ser nuestra alegría
y no nuestra vergüenza por culpa de otros.
Es difícil ser buenos.
Hay que ser héroes de nosotros.

TERCER ACTO

Donde se cuenta que la victoria es
de un movimiento y de las millones de
formas que tiene la Regeneración

Se fue haciendo la tarde con las flores silvestres.
Y unos cuantos resplandores sacaron de la luz
el tiempo oscuro que acomodó el silencio;
con las manos encendimos la estrella
y como hermanos caminamos detrás de un hondo muro.

Camino entre los celebrantes de esta noche en que parece que termina el naufragio. Voy entre ellos, que brincan, se abrazan, planean la fiesta en la madrugada en casa de alguien. Hacia el Metro Juárez que, a estas horas, quizás esté menos lleno.

Muchas cosas han sucedido en un paseo. Una tarde de 1744, el suizo Abraham Trembley andaba por los alrededores de Sorghvliet, Holanda, cuando notó unos extraños cuerpos en el agua del estanque. Al acercarse a verlos, notó que eran «hydras» que el naturalista Leeuwenhoeck había clasificado, unos años antes, como plantas. Su comportamiento le extrañó: parecían agitar sus tentáculos para meterse a la boca pedazos de otras plantas, arena o pequeños insectos. Las tomó y pudo sentir sus contracciones al tacto. Llevó entonces varias «hydras» en un frasco y, de regreso al estudio en el que le enseñaba a los hijos del Conde de Bentinck, las cortó para ver si sus tentáculos funcionaban como cogollos para hacer injertos, como se hace con las plantas. Para su asombro, observó cómo de cada tentáculo cortado surgía una «hydra» completa, otra vez. Intrigado, las enhebró, y jaló para hacer que el interior fuera su exterior, como se hace con un calcetín. En minutos, lo que había sido su ser íntimo, ahora parecía su fachada. Esa fue la primera vez que alguien habló de «regeneración».

El descubrimiento de la regeneración, relatado en el libro de Trembley, *Memorias para la historia de un tipo de pólipo de agua dulce cuyos brazos parecen cuernos*, desató una fiebre popular por observar de primera mano el fenómeno. Escribe Newth sobre esta calentura antes de que la Revolución francesa les cortara el cuello a los monarcas y éstos no volvieran a salir: «En 1768 los caracoles de Francia sufrieron un ataque sin precedentes. Miles de ellos fueron decapitados para saber si, como afirmaban Spallanzani, Reamur, Bonnet y Trembley, la pérdida de la cabeza no necesariamente traía consigo la muerte. Fue la primera de las ramas de la experimentación científica que realmente se popularizó».

Sobre ello, Voltaire le escribió a Madame du Deffand, que era ciega:

Lo lamento por los caracoles que han muerto, pero no por la posibilidad de que sus ojos pudieran ser regenerados debido a estos experimentos. Quizás en un futuro próximo, los hombres puedan hacer regenerar sus propias cabezas. Hay muchas personas para quienes un cambio así difícilmente sería para lo peor.

En un inicio, algunos enciclopedistas tomaron el asunto a relajo. El mismo Voltaire se burló de esos «pólipos-insectos» que se «parecen a un animal tanto como una zanahoria». Diderot, en *El sueño de Alembert*, inventó para la ciencia-ficción la planta depredadora que habitaba Júpiter y Saturno. Más serio, Rousseau enlistó «la regeneración» como uno de los siete problemas filosófico-científicos sin solución. Por un lado, la «regeneración» reforzaba la idea de que el mundo estaba organizado en una escala que iba de lo más simple hasta llegar a la cúspide del «Hombre». El «pólipo» era el eslabón perdido entre las plantas y los animales. Naturalistas como Charles Bonnet dedicaron el resto de sus vidas a encontrar esos eslabones, por ejemplo, entre rocas y vegetales, a la manera de Aristóteles. Pero lo que contradecía al filósofo griego era la necesidad de la generación sólo por la vía de aparearse dos sexos. Si un organismo podía regenerarse, quizás la unidad de la naturaleza no era tal. Así, para protegerla, los naturalistas viviseccionaron cuanto animal encontraron parecido a la especie del agua dulce: serpientes, cangrejos, ranas, gusanos.

Los obispos atribuyeron el nacimiento de Eva de la costilla de Adán «a la manera del pólipo». Lo que no pudieron resolver fue la pregunta blasfema: Si una parte puede ser el todo, ¿dónde se aloja el alma? Era la primera vez que la parte arrancada –en salamandras o la cola de las lagartijas– no moría, sino que generaba por sí misma, orientada por una conciencia perturbadora, una nueva vida. Diderot sentenció que «las propiedades de la vida eran distribuidas en todo el cuerpo» y que el alma, simplemente, no existía o, contra el credo religioso, era divisible. Se volvió entonces al añejo debate de si los animales –los «pólipos»– tenían o no alma o si eran sólo una conjunción automática entre «materia y movimiento». En todo caso, la «regeneración» puso en juego separarse de algo para replicar lo perdido. Además de los guillotinamientos, la metáfora naturalista mudó a lo social con la Revolución francesa.

En México, el nombre que los hermanos Flores Magón le pusieron a su periódico para luchar contra la dictadura de Porfirio Díaz se justificaba así, en su primera edición, la del 7 de agosto de 1900: «Este periódico es producto de una convicción dolorosa». Todavía veían el problema nacional como una desviación de la justicia. «Las reelecciones de Díaz, la corrupción y la ausencia de libertades, pueden ser enfrentadas con un medio periodístico que haga del conocimiento público las atrocidades cometidas por los poderosos.» En 1900, antes de las cárceles y el exilio, Ricardo y Jesús no eran anarquistas, es decir, veían la solución como una separación para restaurar lo perdido: «Nosotros no tenemos la pretensión de constituir una falange, pero nuestro vigor y patriotismo nos indican buscar un remedio y, al efecto, señalar y denunciar todos aquellos actos de funcionarios judiciales que no se acomodan a los preceptos de la ley escrita, para que la vergüenza pública haga con ellos la justicia que merecen». Es el mismo México de ahora, en el que la justicia sólo la hacen los medios.

Como los tentáculos, el movimiento magonista se separará de su patria para fraguar la revolución desde Estados Unidos, mientras la dictadura porfirista ofrece 25 mil pesos «por su cabeza» y sus posibles seguidores son advertidos: «Cualquier impresor que fuere encontrado imprimiendo escritos de Flores Magón, tendrá cárcel, cinco mil pesos de multa y la confiscación de la imprenta».

La «regeneración» a la que finalmente aludió el magonismo era la de la vida comunitaria que el capitalismo de cuates de Porfirio Díaz prohibía, fueran ejidos, sindicatos, ligas campesinas, clubes políticos o partidos de oposición. En su biografía de Flores Magón, Claudio Lomnitz desmenuza esta regeneración como la parte de la vida antes del egoísmo competitivo y la vincula con las lecturas que el anarquista mexicano había hecho de Kropotkin y Malatesta. En una carta a su esposa Teresa, Ricardo precisa su idea:

«Si a esa sociedad de nuestros abuelos indios pudiésemos añadir todas las comodidades y adelantos científicos de hoy en día, entonces sí valdría la pena vivir».

Regenerar sería para el magonismo repensar la vida en comunidad dentro del tiempo de la modernidad. El culto al Estado y a su personificación en el dictador era su principal blanco pero, a la larga, el espacio distinto sería el de las comunidades dotadas con las comodidades que nos dan las tecnologías. Si bien el

Partido Liberal Mexicano tenía a México como principal preocupación, el movimiento fue binacional. Son los magonistas quienes llevan a John Kenneth Turner a conocer la esclavitud en Valle Nacional para que escribiera *México bárbaro* –prohibido en castellano hasta 1954– y a varios guionistas de Hollywood para colocar a la Revolución mexicana como el espectáculo de sombreros, caballos, polvo, pistolas y ceja levantada de valientes que fue. Al llegar al poder, los que sobrevivieron al juego de asesinatos políticos con el que terminó la Revolución inventaron una historia oficial que convirtió al magonismo en un «precursor» –a pesar de que fue al mismo tiempo– y trataron de borrar su carácter inmigrante, binacional y norteamericano, en la medida en que el sindicalismo de la Industrial Workers of the World (iww), modeló la idea organizativa y de agitación del magonismo. Contra el Estado y contra el nacionalismo, los Flores Magón quedaron separados en un no-lugar –utópico, dirían los priistas– y en un tiempo antes de todo.

La «regeneración» deja muchos símiles posibles, es una metáfora que excede con mucho a un sólo sentido del lenguaje. Una parte que regenera al todo, un organismo que no necesita combinarse con otro para engendrar, un movimiento que plantea la vida comunitaria dentro de una modernidad del tiempo, una aspiración que comienza por hacer cumplir la ley y termina haciendo una revolución que cambie la vida. Es todo eso.

La idea de la regeneración, en la Declaración de Principios del partido de Andrés Manuel López Obrador, Morena, se opone hoy a la «restauración autoritaria» del Partido Único con sus satélites, independientes y fiscales a modo. Vivimos un tiempo de «hydras». No sabemos si cortando los tentáculos viciados, volverán a crecer como en el mito griego. Para entender lo que se quiere «regenerar», es decir, qué parte es susceptible de tomar de las instituciones podridas para volver a hacer crecer el todo, hay que pensar en qué es el Movimiento de Regeneración Nacional.

A doscientos ochenta y tres kilómetros de este Zócalo está Xalapa, Veracruz. Ahí, la Hidra pareció regenerarse, con sus monstruosas cabezas de serpientes, varias veces. El priista Fidel Herrera le dejó el gobierno a Javier Duarte. Uno, acusado de tráfico de mujeres migrantes, y el otro huido de la justicia por robarse dos mil millones de dólares. Entonces, surgió la gubernatura de Miguel Ángel Yunes, quien no sólo no persiguió a Duarte y Herrera, sino que trató de imponer a su propio hijo en el estado de Veracruz repartiendo dinero a dos millones de familias. La historia de la Morena veracruzana es la de Hércules tratando de cortar la cabeza de esa Hidra.

Hace seis años, los estudiantes y profesores de la Universidad Veracruzana organizaron una acampada en el Zócalo de Xalapa. Eran los días siguientes al triunfo de Peña Nieto en la Presidencia de la República y ellos (sobre todo, ellas) tomaron como modelo el plantón que una parte del Movimiento #YoSoy132 mantenía, a base de caguama y guitarra, en el Monumento a la Revolución de la Ciudad de México. Ellas habían respondido al «Yo Soy 131» de la Universidad Iberoamericana en YouTube con una versión veracruzana del universitarismo como un nuevo nacionalismo en construcción, la idea de una comunidad digital indignada que se «conecta para desconectarse», es decir, que coincide en la urgencia de ocupar la red, tomar la calle —las plazas— y plantear, con ello, el «Ya Basta», la consigna que demanda que se detenga el flujo de la rapacidad neoliberal y se le de paso al debate, a la consulta y a las decisiones de la gente.

Es importante detenernos un poco en los movimientos que surgen de la red digital y pasan a la acción en espacios públicos. El movimiento universitario #YoSoy132, surgido al calor de la visita del candidato del PRI, Peña Nieto, a la Iberoamericana, el 11 de mayo de 2012, continuó coordinado vía las redes, añadiendo a las demandas iniciales para que no existiera una «imposición» de un presidente desde la televisión, otras de carácter político: una reforma de los medios de comunicación, la educación nacional y los derechos de las comunidades a sus tierras, agua y aire. Es por ello que este movimiento pasa de hacer un «Contra-Informe» al último de Felipe del Sagrado Corazón de Jesús Calderón a una primera plenaria de su estuctura interuniversitaria con los campesinos, maestros de primaria, trabajadores electricistas, en San Salvador Atenco, el pueblo de floricultores que se opuso a la construcción del nuevo aeropuerto internacional en Texcoco y, por ello, fueron brutalmente golpeados y violados por la policía del entonces gobernador del Estado de México, Enrique Peña Nieto. Al nivel de las universidades de la capital, el movimiento se declaró «apartidista», es decir, sus miembros no hablaban ni actuaban como militantes –aunque muchos de ellos simpatizaban con el lopezobradorismo– y organizó un debate entre los candidatos presidenciales que se negó a validar la autoridad electoral y a transmitir la televisión monopólica, y al que asistieron todos los partidos, salvo el PRI. Se acampó delante de Televisa, la que había desatado el movimiento al decir que los estudiantes contra Peña Nieto eran, en realidad, «porros» y «personas ajenas a la universidad». Enterraron simbólicamente a La Democracia, marcharon a la Estela de Luz y no tenían oradores porque se asumieron como un movimiento «horizontal». Y se dieron cita el 22 y 23 de septiembre del 2012, en Oaxaca, en la Segunda Convención contra la Imposición. Ahí, en medio de discusiones entre si prevalecería el movimientismo, el alejamiento de las elecciones-mercancía y la construcción de organizaciones no-gubernamentales por área de estudios de cada escuela, el movimiento acabó en dos movilizaciones, una ante el

Congreso de la Unión contra la toma de protesta de Peña Nieto y otra en Guadalajara, que fueron reprimidas por la policía.

En Veracruz, el primero de septiembre de ese año, durante un día tomaron las oficinas del Palacio de Gobierno para evitar el informe de Javier Duarte y llenaron de globos el patio. «Comeflores rojas», llamó a las jóvenes la prensa afín al régimen. Después de la Convención en Oaxaca, para las universitarias de Xalapa quedó claro que habría que forzar la vía electoral como una cobertura del itinerario del Movimiento Magisterial Popular, de lucha por el agua, de las cooperativas de café, y de las familias en busca de sus hijos desaparecidos en fosas clandestinas por todo el estado. Atendieron entonces al llamado que hacía López Obrador de crear una asociación civil llamada «Morena». El prejuicio más que justificado contra los partidos –después de todo, el mismo PRD que gobernaba la Ciudad de México había mandado golpear y encarcelar a sus compañeros el primero de diciembre de 2012– se debilitó al pensar en una asociación civil que les diera cobertura a los movimientos veracruzanos.

Para Veracruz el término «regeneración» quiere decir con mucha claridad desandar los caminos de la privatización. En agosto del 2015, el Congreso local aprueba la entrega del agua a un conglomerado de empresas privadas, entre las que se encuentran la mayor corruptora del continente, Odebrecht, y Agua de Barcelona. En el dictamen aprobado se libera a la empresa de la obligación de construir infraestructura para garantizar el abasto de agua o buscar nuevas formas de abastecimiento. Además, incluye la posibilidad del aumento de tarifas de manera mensual por el servicio de agua, alcantarillado y drenaje. También plantea que sea el municipio de Xalapa el que se encargue de las inversiones, ya sea que aporte los recursos, los gestione con el gobierno estatal o federal, o incluso que solicite créditos bancarios para garantizar la infraestructura de las empresas privadas.

Las veracruzanas se movilizan contra esta entrega del agua pública y revisan que, cuando esas mismas empresas entraron a administrar el agua en Saltillo, Coahuila, los servicios aumentaron 300 por ciento para los usuarios. Pero lo más indignante no es la mera privatización sino que, con ella, se está disfrazando el desvío del Río Jalcomulco, que abastece a Xalapa. El agua que beben los jalapeños, con las que se bañan y limpian, será concentrada para lavar los minerales de varias minas de oro, concedidas para la explotación a nombre de la canadiense Mexican Gold Corporation, en mil seiscientas hectáreas.

Lo urgente era echar para atrás la privatización que significaba que, si Odebrecht decía que eras deudor, te podía cortar el suministro de agua, el único líquido indispensable para la vida. Y ésta, la vida, comenzó a convertirse en la última línea de resistencia de un Movimiento que buscaba «regenerarla».

A fines de junio de 2013, el hijo de Lucía Díaz, Luis Guillermo Lagunes, de 29 años, fue secuestrado. Lo atraparon en su propia casa, en Xalapa. Lucía acudió a la policía, local y federal, que no hizo nada. Entonces, ella misma lo buscó en hospitales, morgues y cárceles.

–Nadie me pudo dar razón de mi hijo. De tanto ir a ver al Ministerio Público a ver qué habían averiguado sus policías, empecé a conocer a otras madres, hijas, novias, esposos, padres, que también tenían a sus familiares desaparecidos. En ese momento supe que no estaba sola en ese dolor que te quema. Pero que yo tenía la posibilidad, que muchas de esas mujeres no tenían, de buscar a tiempo completo a mi hijo, sin tener que preocuparme por el sustento de mi familia: yo tenía los medios y los contactos. Podía investigar quién hacía pruebas de sangre, de ADN, de huellas dactilares, de dentaduras, para buscar.

Lucía Díaz fundó con las mujeres el Colectivo Solecito de Veracruz, que empezó como un grupo de cien mujeres que comenzaron a comunicarse por WhatsApp. Desde 2016, estas madres van a los descampados en los alrededores de Veracruz armadas con una cruz de metal y un martillo. El método es en-terrar el mástil en la tierra, sacarlo y después olerlo:

–A veces huele a polvo, otras, a tierra mojada. Pero si huele a muerto, entonces empezamos a excavar– dice Lucía y explica: –Los muertos están bajo tierra. Los vivos, sobre ella. Pero los desaparecidos no. Por eso tú te conviertes en ellos, todo lo que haces es en función de encontrarlos, abajo o arriba, y por eso ves, oyes, sueñas para ellos. Te conviertes en sus ojos, oídos, ca-beza. Porque ellos están ciegos, sordos y mudos. Somos nosotras las que vivimos por ellos.

Informe de mudos

Cinco historias de «regeneración»

Sucedió en Veracruz. El Día de las Madres de 2016, dos jóvenes se bajaron de una camioneta en el puerto y les entregaron un mapa a las madres del Colectivo Solecito –llevan los rostros de sus desaparecidos impresos en sus camisetas– y les dijeron que era su «regalo». Debajo de esas tierras, conocidas como Colinas de Santa Fe, las madres, hermanas, amigas, esposas, descubrieron más de 120 fosas secretas. «Unos cuerpos todavía con piel; otros, ya esqueleto». Oigo la voz de mujer en la computadora y no parpadeo. De tantos desaparecidos, tumbas sin nombre, a nadie impresiona el hallazgo: la verdad no llega a ser acontecimiento, sino interminable continuación de nebulosas tragedias. Para distinguirla, se le trata como «la más grande fosa clandestina del mundo», o se da cuenta de que, por la corrupción, el Gobierno no cuenta con los recursos para identificar 250, mil 500, restos humanos. La cifra se exime a sí misma. El hecho narrado por la madre de un desaparecido ya no conmueve. Con un resignado «México es un cementerio clandestino», se evade la deuda irreparable que todos tenemos con esas muertes violentas. La verdad es tediosa. La verdad es triste. La verdad es, como escribió Ernesto Sábato en el prólogo del informe sobre los desaparecidos de la dictadura en Argentina: «Desde el momento del secuestro, la víctima perdía todos los derechos; privada de toda comunicación con el mundo exterior, confinada en lugares desconocidos, sometida a suplicios infernales, ignorante de su destino mediato o inmediato, susceptible de ser arrojada al río o al mar, con bloques de cemento en sus pies, o reducida a cenizas; seres que sin embargo no eran cosas, sino que conservaban atributos de la criatura humana: la sensibilidad para el tormento, la memoria de su madre o de su hijo o de su mujer, la infinita vergüenza por la violación en público; seres no sólo poseídos por esa infinita angustia y ese supremo pavor, sino, y quizás por eso mismo, guardando en algún rincón de su alma alguna descabellada esperanza».

¿Qué nos ha ocurrido cuando el anuncio de una fosa clandestina no cimbra ni al gobierno de Veracruz, ni al de Peña Nieto y le llega al resto de la República en forma de neblina? Ninguna religión contribuye más a justificar la sangre derramada como esa idea: los hombres son mortales, pero no la Humanidad. Ese fue, balbuceado, el origen de humo de «la guerra contra el crimen organizado» en la Marcha Blanca «contra» la inseguridad de 2004, fundamento del imperativo presidencial de Felipe Calderón. Las tragedias eran «particulares» en la medida en que la paz –una serenidad de sillón frente a la tele– se desdoblaba como un manto protector. Se planteó como una «guerra» de dos bandos: el crimen y todos los que no pertenecían a él (se asumió que el ejército, la marina y los miembros de la burocracia política no eran orquestadores). Las palabras «crimen organizado» no se anclan en nada, sino en todos. No son un hecho sino una etiqueta. No se enlistan actos delictivos, sino que sólo se les exhibe con una palabra. Como membrete, el poder la usa para todo lo que se opone a la marcha por la seguridad mexicana. Las atrocidades cometidas no tienen que ver nada con una «guerra».

Los cuerpos de los jóvenes –muchas mujeres– encontrados en las fosas ilegales por todo el país no son de «enemigos», sino de presas. Ellos y ellas no estaban en una confrontación, sino que se encontraron en una trampa. Para el poder son lo mismo un sicario del narco que una de estas víctimas llamadas por Calderón «colaterales» –hasta donde sabemos, 120 mil personas– para quitarles la calidad de seres humanos. En una guerra, los combatientes toman decisiones de sobrevivir o arriesgarse. En esta inmundicia mexicana, las víctimas son escogidas, quizás al azar. No pagan culpa alguna, más que haber nacido. Fueron despojados de sus vidas porque, antes, el poder les quitó la libertad de decidir qué iban a hacer con ellas. Muy pocos se detuvieron ante sus heridas.

Una de ellas, Sara Uribe, la dramaturga de Ciudad Victoria que escribió *Antígona González* –testimonios de las mujeres a las que el poder les ha negado enterrar a sus hermanos– me lo cuenta:

–Todos los días pasaba por un cine abandonado, con mis audífonos. Luego se supo que, en ese edificio, había treinta personas secuestradas. Me enteré demasiado tarde. No sé qué hubiera hecho o podido hacer, al menos saber. Ahora me persigue la imagen de mí misma caminando delante de ese cine con secuestrados, amordazados, atados de pies y manos, con moretones, torturados, violadas, y mis audífonos.

Parece que tendríamos que invertir la certeza de Hegel: la Humanidad muere cuando mueren con violencia sus hombres y mujeres. La responsabilidad moral no debiera terminarse donde se acaba nuestro cuerpo, nuestra casa, nuestra «paz», sino hasta donde la herida del otro nos cimbre. Por lo menos saber. Pero no es así. Hay una porción de la sociedad que está dispuesta a voltear la vista, a taparse los oídos, ante los gritos de los familiares de los desaparecidos. Creen que hay alguna razón que debe estar por encima de la existencia de las personas, que «la paz social» seca la sangre del exterminio. O, ya que todo es inhumano, se disuelve la responsabilidad de los funcionarios del Estado como criminales de lesa humanidad, en el pantano de «así de violento es México: aquí la primera reacción ante el conflicto es sacar la pistola». No escuchar a los desaparecidos y disolver las responsabilidad de quien tiene la fuerza legal –el Estado– es la misma tediosa verdad. No reparan en que «la ley» dejó de ser el marco en el que se delimitan nuestras acciones, para convertirse en la acción misma. Como escribió el autor suizo Max Picard en *Hitler en nosotros*: «El crimen se convierte en doctrina y ley cuando la fantasía de exterminar el antagonismo entre los hombres acaba por eliminar a los hombres mismos». Quienes no se conmueven ahora, quisieran esa vida sin conflictos del cuento de hadas del Milagro Mexicano: los muertos bien valen una Olimpiada. Y Calderón abusó de esa aspiración de las clases medias torvas, ignorantes, narcisas: los desaparecidos, desplazados, torturados, ejecutados, eran el precio de un «deber» o de una «necesidad».

Ni Javier Duarte en Veracruz, ni Moreira en Coahuila, ni Graco Ramírez en Morelos, saben la historia del secuestro de Aldo Moro en el verano de 1978. Si la supieran, no habrían repetido sus errores. Aldo Moro fue secuestrado por las Brigadas Rojas, después de ser dos veces primer ministro de Italia. La policía le pidió al encargado de encontrarlo, General Carlo Alberto dalla Chiesa, que recurrieran a la tortura de algunos detenidos para sacarles la verdad sobre el paradero del político democristiano. El General al mando de los carabineros contestó célebremente:

–Italia puede permitirse perder un Aldo Moro. No, en cambio, implantar la tortura.

Della Chiesa dejó morir a Aldo Moro y fue asesinado por la mafia siciliana en 1982. Nunca se enteró que su defensa de la ley y el debido proceso contrastaba con la Operación Gladio de la ultraderecha italiana que buscaba, precisamente, la muerte de Aldo Moro para desprestigiar a la izquierda y evitar que ganara en las urnas. No importa su ignorancia. El General, a diferencia de los soldados y políticos mexicanos, jamás infringió la ley para hacer cumplir la ley. Siguió pensando que la ley era un cerco para la acción del Estado, y no una acción disciplinaria contra la población.

Los crímenes y atrocidades que se han cometido desde hace más de una década en México no son personales –comunes–, ni siquiera «de guerra». Son de lesa humanidad, un ejercicio criminal del ejercicio del poder estatal. Y nadie se ha detenido ante las heridas. Los mudos no lo son porque no puedan hablar, sino porque nadie quiere escucharlos.

Oigo a Lucía Díaz en YouTube denunciando la fosa clandestina. No sabe si su hijo desaparecido es o no uno de los restos encontrados. Quizás nunca lo sabrá.

Recuerdo un relato muy antiguo que leí en *Una historia breve del mundo*, de H.G. Wells. Doscientos sesenta años antes de nuestra era, Asoka lideró una cruel guerra contra Kalinga para pacificar a la India. Después de vencer, mandó inscribir en las rocas de los principales cruceros de los caminos:

«Esta es la penitencia del rey por haber sometido a Kalinga: fueron deportadas 150 mil personas, 100 mil fueron asesinadas, y centenares de miles murieron como consecuencia. Esta ruina, muerte, cautiverio de los hombres y mujeres, es fuente de tristeza y humillación para el rey querido de los dioses».

Cuando han sucedido estos duelos, tenemos obligación, aunque seamos «los reyes de los dioses», de dejarlo inscrito en las piedras.

Cada noche, las mujeres del Solecito pasan lista de cada uno de los familiares desaparecidos a través de su grupo de WhatsApp. Y casi como un ritual, antes de dormir, cada una de ellas escribe: «Él vive, y todos viven».

Informe de sordos

La diferencia entre el nacionalismo y el patriotismo, entre la Nación y la Patria, es que en la primera se odia a los demás y, en la otra, se ama lo propio. Los que transcurren frente a mí, retirándose del acto de López Obrador en el Zócalo son, qué duda cabe, parte de la Patria. Son ciudadanos imaginarios, como todos, pertenecientes a una fantasía llamada «México», cuyo centro siempre ha sido la utopía comunitaria: la forma de tomar decisiones e impartir justicia es entre iguales. La resistencia colectiva al individualismo neoliberal –el que ve en todos los demás a un competidor al que hay que derrotar– contiene ese registro del patriotismo como la idea de que existimos sólo en relación con los demás.

Pienso, por ejemplo, en Oaxaca en 2006, después de un tiempo de rebeliones, el movimiento de la APPO terminó en el desalojo violento de los maestros disidentes. Las organizaciones comunitarias optaron ahora por apoyar a Morena. El camino de los oaxaqueños es igual y distinto al del resto del país. A partir de la represión terrible a la APPO, entran en el juego electoral, no en el movimiento armado, que es lo que Ulises Ruiz, el gobernador de quien se pedía su renuncia, calculó. De hecho, si leemos el pliego petitorio de la APPO, hay una continuidad en el proyecto de Gabino Cué, quien resulta electo gobernador por una alianza derechizquierda de 2010 a 2016:

La sociedad ha rebasado las instituciones debido al gobierno autoritario; de igual manera, el Legislativo y los partidos políticos no representan los intereses del pueblo. Se exige entonces la renuncia del gobernador Ulises Ruiz. Se requiere una nueva Constituyente y la ampliación de instrumentos de participación ciudadana como la soberanía popular y democracia participativa, que rescaten las formas comunitarias. Por ejemplo, se propone la inclusión de formas de poder, participación y organización política popular como la asamblea, el consejo de los pueblos, la iniciativa popular, el plebiscito, la segunda vuelta, la revocación de mandato, la consulta popular y el referéndum. Existe corrupción y poca transparencia en el ejercicio del presupuesto público, en la designación de puestos públicos y en los instrumentos de monitoreo ciudadano. Por lo mismo, se requiere una división de poderes real entre el Legislativo y el Judicial, y una verdadera autonomía y ciudadanización para las instituciones de monitoreo como la contraloría y las instituciones electorales y de derechos humanos del estado, e instrumentos eficientes de rendición de cuentas y auditoría de gobiernos pasados mediante una nueva Ley de Transparencia (ramos 28 y 33). Existe una discriminación y una vulnerabilidad permanente de los pueblos indígenas y negros. Se requiere prestar debida atención a los conflictos agrarios intercomunitarios, generalmente producto de la impunidad de caciques y la desigualdad económica. Se exige el reconocimiento de las formas y los mecanismos de participación y representación de los pueblos indígenas, así como la promoción y protección de la educación bilingüe y de los medios de comunicación comunitarios. Se exige reconocimiento de los ayuntamientos populares y una nueva legislación que considere las autonomías municipales, así como una redistribución de recursos municipales de manera democrática y en consideración de las formas comunitarias de organización económica, como el tequio. Los megaproyectos de desarrollo son excluyentes de los intereses de las comunidades (específicamente: tren transístmico; proyecto eolítico La Venta; corredor turístico Pinotepa Nacional-Huatulco; privatización de recursos minerales en la Sierra Sur, por lo que se demanda). Existe un grave clima de impunidad en el estado, abusos cotidianos a los derechos humanos, criminalización de la protesta social y agresión a medios de comunicación independientes. Se exige justicia para las víctimas de la represión del movimiento del 2006.

Doce años después, Flavio Sosa, exdirigente de la APPO en 2006 –por lo que fue encarcelado en la prisión de alta seguridad de Almoloya, como si fuera un narcotraficante peligroso–, me dice:

–En el 2006 el PRI sufre su primer magnifica derrota en el estado. AMLO arrolla en Oaxaca y cuando gritamos «Ulises ya cayó», también estamos gritando el PRI ya cayó, el cacicazgo, la red de cacicazgos. Ya cayó y el régimen ya cayó. Todo esto a pesar de los desaparecidos, muertos, torturados y presos. El 2006 resulta un parte aguas en la vida política y social de Oaxaca, es el 2006 el que lleva a Gabino Cué a la gubernatura y es el 2006 el antecedente histórico de la tercera derrota del PRI en 2012. En Oaxaca llegamos al 18 con una «inercia» muy favorable para Andrés Manuel en su recorridos por el estado, a pesar de su suave deslinde del mal gobierno de Gabino Cué, la gente lo sigue buscando y le expresa en todos lados que van con él y que la tercera es la vencida.

La oposición de Andrés Manuel a la Reforma Educativa de Peña Nieto, al condenar las supuestas «evaluaciones» a golpe de gases lacrimógenos y cuando consideró que era sólo un cambio laboral que no buscaba mejorar la educación nacional sino vulnerar a los trabajadores, le concitó el apoyo de la Sección 22 del Sindicato de Maestros en Oaxaca. Por una demanda de aumento salarial de esa sección sindical fue que todo había empezado en 2006. Pero, de esa fecha al primero de julio, se fueron acumulando organizaciones, además de las magisteriales, que vieron en López Obrador la posibilidad de una cobertura política a sus demandas comunitarias. Fue el caso del Movimiento de Unificación y Lucha Triqui, una organización de los indígenas triquis que busca, desde sus regiones en Oaxaca, California y el Centro Histórico del DF, educación intercultural y una «descolonización» de sus pueblos. También se unieron a la candidatura presidencial: «Comuna», una organización de San Bartolomé Coyotepec y Los Chimalapas, que ha prohibido el uso del unicel y ha proyectado el uso de la energía solar para consumo comunitario; el Frente de Presidentes de la Sierra Sur, cuya demanda ha sido que existan hospitales regionales; la Unión de Organizaciones de la Sierra de Juárez (UNOSJO), que luchan contra los transgénicos y la biopiratería, y a favor de una industria agroecológica propia de las tradiciones y las cosmovisiones indígenas, y que acordaron con Andrés Manuel el manejo sustentable de sus bosques ejidales. Unos días antes de las elecciones, el sistema de salud en Oaxaca se paralizó por un fuerte movimiento contra el gobierno del estado, que pretendía un despido masivo de trabajadores y terminó cediendo en su pretensión, el secretario de Salud fue despedido y el gobierno fue derrotado. La anteriormente poderosa Coalición Obrero Campesina y Estudiantil del Istmo (COCEI), que ganó las primeras elecciones para la izquierda en 1981, en Juchitán, llegó dividida al 2018 y sólo tres de sus varias facciones trabajaron por Morena, a cuyos candidatos hicieron ganar.

De camino al Metro, pienso que la acumulación de tantas fuerzas organizadas, reprimidas, renacidas, son otra idea de la «regeneración». Aquel municipio «socialista» de Leopoldo De Gyves, en la zona zapoteca, que se financió con recursos de una subasta de pinturas de Francisco Toledo, y cuyos animadores fueron Carlos Monsiváis y Elena Poniatowska, ahora convertido en Morena de Juchitán. Cuántas comunidades que han luchado por las vías legales y democráticas no son ahora las que convergen en torno a López Obrador. El movimiento que cree en él es un resumen de las luchas democráticas, desde los más pobres hasta los menos pobres.

Pienso, por ejemplo, en «La Tía Tatiana» –así la adoptó el movimiento de opinión a favor de Morena en las redes de Internet–, Tatiana Clouthier. Hija del excandidato de Acción Nacional en 1988, Manuel «Maquío» Clouthier, que denunció, junto con la izquierda de Cuauhtémoc Cárdenas, el fraude de Salinas de Gortari, ella simboliza a la clase media del norte del país. Es de Monterrey, de Lenguas Inglesas en universidad privada, amiga de los empresarios y, hacia el final de la campaña, era la vocera favorita de los jóvenes, por su sinceridad.

«La Tía Tatiana» es por derecho propio la encarnación del Monterrey demócrata. Al renunciar en 2005 a Acción Nacional, sus palabras no dejaron lugar a confusiones:

«Tristemente veo que nuestro partido no ha mostrado tener un proyecto claro y definido ahora que es Gobierno y las cabezas del PAN están en dirección contraria de las razones que le dieron origen. Hoy creo que se está buscando más el poder por el poder y quienes encabezan el partido son una muestra clara de ello. El PAN se sacó al «priista» que dicen que todos llevamos dentro y éste afloró en las prácticas del partido al que ayudé a construir y al que hoy renuncio».

A la narrativa de lo comunitario, la ideología dominante en Monterrey opone la del hombre-hecho-a-sí-mismo y la vida como esfuerzo puro. El imaginario es el de una zona que se levanta, de la nada, en el desierto, al pie del Cerro de la Silla, y que le demuestra al país que no se necesitan favores, programas sociales, al Estado mismo, para construir algo. En esta campaña, se suponía que ese discurso del esfuerzo individual que lleva al éxito –medido en dinero– sería monopolizado por el gobernador con licencia de Nuevo León, Jaime Heliodoro Rodríguez, «El Bronco», un agrónomo priista, que fuera secretario particular del gobernador Alfonso Martínez Domínguez, uno de los responsables de la matanza de estudiantes del 10 de junio de 1971, en la Ciudad de México. Pero «El Bronco», buscando diferenciarse de López Obrador, exacerbó la narrativa regiomontana y acabó caricaturizándola: los programas sociales eran «dinero tirado a la basura» porque hacen más flojos a los flojos; la forma de combatir la corrupción es «cortarle las manos» a los funcionarios que incurran en ella; el Estado es lo único que estorba a la libre empresa.

La opción de López Obrador fue hacer de Tatiana Clouthier, hija de los célebres «bárbaros del Norte» –el término que el centralismo priista usó para desacreditar los esfuerzos electorales de la derecha en Tijuana, Ciudad Juárez y Monterrey–, la vocera en redes sociales y de opinión. Mediante una asociación con el empresario Alfonso Romo, no sólo se neutralizó el discurso de «El Bronco» –que, de todas formas, se contrarrestaba a sí mismo–, sino que logró dar una impresión de un Estado que no estaría entregado a los intereses empresariales, pero que los promovería siempre y cuando no fueran producto de la corrupción. Romo encarna al empresario que quiere cambiar: pasó de producir el tabaco que se fumaba en México, La Moderna, a invertir en biotecnología, en semillas mejoradas. Pero terminó vendiendo su empresa a Monsanto, el monopolio genético. Muchos de los sectores comunitarios se sintieron traicionados porque justo la propiedad sobre las semillas es lo que está en el centro de la disputa con Monsanto. Seguidor de López Obrador desde la campaña presidencial de 2012, Alfonso Romo dejó que el discurso de la clase media que aspira a ser «emprendedora» cayera en manos de «La Tía Tatiana» y, sin mayores explicaciones, lograron atraer el voto del Norte. La «regeneración», en este caso, no tiene que ver con lo comunitario, sino con la idea de los empleos mejor pagados –López Obrador planteó el aumento del salario en la zona fronteriza– y con cierto aire de tranquilidad clasemediera que opina que el disenso es «división». «La Tía Tatiana» y Alfonso Romo evitaron que esa impresión consustancial a cualquier campaña electoral –se divide para diferenciarse– no privara sobre el clima de suavidad que el lopezobradorismo estaba empeñado en lograr, en contraste con la campaña negra en su contra como «violento», «socialista» e «ilegal».

En el Sur, otra mujer entró en el movimiento de «regeneración». Nestora Salgado fue usada por el candidato del PRI en contra de Morena al asociarla con los secuestros. En realidad, la historia es la de las autodefensas en Guerrero y Michoacán, los grupos civiles que surgieron una vez que quedó clara la complicidad entre el crimen organizado, las policías, el ejército y la marina. Ante la impunidad de los secuestros, las desapariciones, las fosas clandestinas, los grupos de autodefensa empuñaron las armas para asegurar a sus familias y a sus comunidades.

La historia de Nestora Salgado, que hoy ganó la elección al Senado, comienza cuando emigra de su pueblo en Olinalá –famoso por las cajitas de madera labradas a mano– a Estados Unidos, con sus tres hijas. Huye de un marido golpeador y de la falta de oportunidades. En California, trabaja como sirvienta y logra ahorrar lo suficiente para regresar a Guerrero. La eligieron «Comandanta» de la Policía Comunitaria, un organismo constitucional que vela por los usos y costumbres de las comunidades indígenas y que, en el caso de la complicidad de la autoridad y la delincuencia, sustituye al uso legítimo y legal de la fuerza. Organizó la seguridad en su municipio y los secuestros y asesinatos bajaron 90 por ciento. Respaldada por sus comunidades, Nestora decidió enfrentar directamente a la autoridad civil implicada en los robos, secuestros y homicidios. Denunció al exgobernador Ángel Aguirre, al exalcalde de Olinalá Eusebio González y detuvo a su síndico, Armando Patrón Jiménez, acusándolos de estar en «conjunción mafiosa». En Olinalá, Huamuxtitlán y Polutla, pero también en Ayotzinapa –donde siguen desaparecidos los 43 estudiantes de la Normal Isidro Burgos– y en San Salvador Atenco, a Nestora se le compusieron canciones –«La Libertaria»– y se le pintaron retratos en las paredes. Simboliza a las mujeres indígenas del sur, a las que se les debe el echarse al hombro a sus familias y a sus comunidades. Junto con el doctor José Manuel Mireles en la Tierra Caliente de Michoacán, Nestora señala una última línea de defensa de la vida. En su caso, la «regeneración» es proteger a las familias de lo que denunció y le costó a ella una prisión en cárceles de máxima seguridad de dos años y siete meses: la utilización de menores de edad en filmaciones de abusos sexuales. Después de la denuncia, Nestora recibió una llamada de una madre de familia preocupada porque sus tres hijas se iban de fiesta con unos delincuentes del pueblo. Nestora las trajo de regreso, las regañó y las llevó a La Casa de la Justicia, en Paraíso, una instancia comunitaria para advertir a los jóvenes de los riesgos de entrar en contacto, sea con los soldados, sea con los sicarios quienes por esas tierras parecen confundirse. Ese fue el incidente que la Procuraduría de Peña Nieto aprovechó para encarcelarla el 21 de agosto de 2013. La acusó del secuestro de las niñas. El Padre Solalinde, que defiende migrantes; los comuneros que se oponen a la construcción de la presa La Parota que dejaría a los ejidatarios en torno a Acapulco sin agua, y los vecinos de los barrios pobres de Chilpancingo, se aprestaron a su defensa. Salió libre de toda responsabilidad en 2016, por la decisión de tres jueces que no encontraron pruebas. En el camino, mediante una huelga de hambre en el penal de Tepic, Nayarit, donde se le tenía aislada, y las voces de los organismos civiles de derechos humanos, como el Agustín Pro-Juárez, Nestora se convirtió en la otra justicia posible, la que no depende de la corrupta policía o el abusivo ejército, sino de los propios pobladores constituidos en autodefensas, centros de «regeneración» y salvaguarda de la seguridad en las comunidades. En su caso, la «regeneración» son las Casas de Justicia, lugares que, sin ser prisiones, tratan, durante un lapso determinado por la Comandancia Civil, de convencer a los delincuentes de que lo que hacen está mal, que le hacen daño a los demás.

A pesar de que salió libre por falta de pruebas –las autodefensas en Guerrero son constitucionales– , durante el tercer debate, el candidato del PRI acusó a Nestora Salgado de ser «secuestradora» y, por lo tanto, al movimiento de López Obrador. Había una intención de confundir la amnistía propuesta para pacificar al país, para tratar de reparar lo roto que está en muchas regiones, con la idea de que Andrés Manuel «iba a sacar a los delincuentes de las cárceles». Con un resultado desastroso de un cuarto de millón de asesinados, 30 mil desaparecidos y casi un millón de personas desplazadas, la «alternativa» a la amnistía de López Obrador no era tal, era seguir con el ejército y la marina en las calles.

Informe de ciegos

Un candidato que hoy ganó para ser diputado local es un joven de San Luis Potosí, Pedro Carrizales, «El Mijis». Representa todos los prejuicios de una sociedad asustada por sí misma: en los medios se le asocia con la amnistía a «delincuentes». «El Mijis» fue el líder de una pandilla muy grande en los barrios sin pavimento ni agua de San Luis, «Los Chondos». De profesión albañil, como su padre ausente, y como integrante del Movimiento Popular Juvenil –una organización civil que comenzó con una tregua entre bandas para hacer bailes de sonideros–, ha recorrido varios estados uniendo a las pandillas para evitar que caigan en el sicariato de los narcotraficantes. De inmediato fue señalado como «homicida», «exconvicto» y «cholo». No importó que nunca hubiera matado a nadie y que jamás pisara una cárcel, «El Mijis» fue marcado por sus tatuajes –en el pecho dice: «Hecho en San Luis Potosí» y en un brazo: «Perdóname, mamá»–, su ropa –camisetas, pañoletas en la frente, collares ostentosos– y su origen en un barrio del Infonavit, «Las Piedras». Pero desde 2009, un programa del «Mijis» para renovar el aspecto de los barrios pobres de tres mil casas de hormigón y lámina en San Luis, Coahuila, Tijuana, Guadalajara, y Guanajuato lo enmarca como luchador social:

«La policía te detiene porque reacciona a tu aspecto, como si ser delincuente se te viera en la cara, en la ropa, los tatuajes. Empezamos este programa de "Pinta tu cantón", que es un arreglo entre las fábricas de pintura, las pandillas y los vecinos. Las fábricas regalan la pintura, los chavos ponen la brocha y la fuerza de trabajo, y los vecinos pagan 300 pesos porque a la fachada de su casa le salgan colores. Muchos de los barrios tienen el color del material de construcción, que es gris. Y así se siente la gente cuando llega a su casa. Nosotros coordinamos a las pandillas para que se autoempleen y lleven dinero a sus casas. Eso cambia la relación entre los vecinos y los que ellos creen que son "cholos"».

En 2016, «El Mijis» convoca a las pandillas del país para unirse en una caravana de bicicletas –el transporte de los «aguadores» de los sicarios, es decir, los que avisan si llega la policía o un grupo rival a la colonia– para entregar a varios Congresos locales una misma petición: «Empleos, seguridad comunitaria a cargo de policías vecinales, no discriminación por tu aspecto, educación superior gratuita, cultura, deporte». La caravana por la paz que significa, para todo fin práctico, una tregua entre las pandillas, adquiere un nombre dramático: «Grito de existencia».

«Llegas a la pandilla porque tienes problemas, en tu casa, en la escuela. Y, en lugar de darte un buen consejo, te ponen una caguama y un toque. Te metes a la pandilla, te metes en peleas, te drogas, y un día la policía te mata. Hace algunos años un guardia de seguridad maltrató a un perro y mucha gente se indignó. Cuando matan a un chavo banda sólo dicen "seguro andaba en malos pasos". Esa no puede ser la vida de millones de chavos».

«El Mijis» está vivo de milagro. Con heridas de machetes en el cuello y la cabeza, «picado» varias veces en los riñones, los pulmones y el intestino, tiene muchos años de lucha para que el resto de la sociedad reconozca a los pandilleros como ciudadanos.

—Se nos discrimina no sólo de modo verbal, sino con la mirada, se nos cierran las puertas o se nos niega empleo sin importar nuestras capacidades». Tan sólo en San Luis Potosí hay más de mil pandillas de por lo menos treinta integrantes cada una.

La historia del «Mijis» —«El Bebé», en sus orígenes dentro de la banda Los Chondos— es la del reconocimiento. Buena parte de la realidad que encarna en sus tatuajes tiene dos opciones: morirse en las calles o emigrar a Estados Unidos. Muchos de ellos entran y salen de las cárceles, pero cada vez su existencia es más complicada por tener antecedentes penales. Tiene que ver con una discriminación elemental: la criminalidad por el aspecto; la delincuencia por la edad y el barrio en el que vives; la queja de la sociedad con alternativas de que «esos cholos» desaparezcan, los maten, los encarcelen de por vida.

«Impulsaré una iniciativa para borrar antecedentes penales cuando sean delitos menores. Gente en San Luis, por ejemplo, está encerrada por robar un mandado, sale y deja de ser ciudadano, ya no puede acceder a un empleo, y eso aumenta las posibilidades de que se meta a la delincuencia».

También dice que, ahora que será diputado, a ver si les pagan a los de sus pandillas la remodelación del Centro Histórico de San Luis Potosí, porque «les pintamos, les resanamos, les ayudamos y ni las gracias».

Ahora que bajo las escaleras del Metro en esta noche de la victoria, también pienso en la última historia de «regeneración» que contaré, no vaya a ser que esto se convierta en un diagnóstico del estado que guarda la Nación.

Sucede en Puebla y una de sus cabezas visibles es María Luisa Albores, una indígena de Ocosingo, Chiapas, que fue a hacer su tesis de licenciatura a Cuetzalan, en la Sierra Norte poblana, y ya no regresó. Se encontró ahí una cooperativa de café y pimienta, Tosepan Titataniske, de los pueblos nahuas y totonacas de la sierra. Desde 1977, un año después de que María Luisa naciera, esta cooperativa había fundado un modelo de consumo rural con precios bajos de alimentos básicos. Tenía bodegas y tiendas en 60 comunidades y había construido caminos para transportar cosechas por toda la sierra, incluyendo 40 kilómetros de carretera.

Cuando María Luisa llegó a Cuetzalan, se estaba proyectando el vivero de cafetos, frutales y árboles de bosque con un millón de plantas. Con ella como pasante, se desarrolló, por ejemplo, hacer de la pulpa del café (la cereza) un medio de cultivo para criar hongos comestibles y también para hacer abono. Sin embargo, la zona de influencia de la Tosepan siempre ha estado acosada por los usureros, los dueños de los beneficios donde se procesa el café y los terratenientes. Por eso, los cooperativistas han buscado, por ejemplo, tener máquinas para el secado del grano de café que trabajen con energía solar y del viento, o utilizar lo que recubre la semilla que se tuesta del café para producir productos fermentados. Lo que resulta interesante de Tosepan es su definición de una «buena vida», *yeknemelis*, en náhuatl.

Es algo que está en el núcleo de este tipo de «regeneración», que no es ni la de salvar la vida propia ni la de sus vecinos, ni la del bienestar. En cooperativas como Tosepan hay una diferencia entre las vidas que valen la pena ser vividas y las que son simple producto de la necesidad. Primero, por supuesto, está el laborar, que es sólo la forma de mantenernos vivos, nutriendo el cuerpo; está, también, trabajar, que es llenar el mundo con objetos que no nos da la naturaleza; y la acción, lo que sucede entre los individuos, y cuya condición es la pluralidad, centro de cualquier comunidad y decisión. Tosepan, por ejemplo, se dirige desde las asambleas de cooperativistas en cada localidad y, luego, se llevan sus resolutivos a las Asambleas. Hay un comité que vigila la transparencia de las decisiones y el uso de los recursos. En el cooperativismo, no se consideraba *buena vida* la determinada por la pura necesidad, porque sus movimientos y acciones estarían sujetas a la voluntad de políticos, terratenientes y la burocracia corrupta del dinero para «desarrollo social». Lo no sujeto a la necesidad o la utilidad es lo verdaderamente distinto de las comunidades: su vida lineal hacia la muerte en medio de un cosmos que es circular, que se repite. Sin poder ser inmortales, como los dioses, sean los católicos o los prehispánicos, sus acciones pueden aspirar a la eternidad. Para los nahuas, la palabra «morir» era, literalmente, «dejar de estar entre los otros».

De alguna manera, si nos contrastamos hoy con esta idea de la vida, hemos perdido muchas de sus dimensiones. La vida que llevamos es muy parecida a la de los esclavos, sujeta a la necesidad y a la utilidad. Todo nos habla de la inevitabilidad: es necesario servir a lo lucrativo, es obligatorio calcular los costos en función del beneficio, es esencial ser pragmático. Si contrastamos la forma en que nos vemos como sociedad, nuestras acciones palidecen ante lo que se requiere en una comunidad cooperativa para pensar en la *buena vida*: el poder de los asistentes a una asamblea no es sólo el de elegir entre autoridades o proyectos productivos, sino el de persuadir y ser persuadidos por la palabra. Lo que define la vida pública es la capacidad de darle sentido como comunidad, no por medio de la obediencia a las órdenes, sino del debate.

Cuando Andrés Manuel conoció a María Luisa Albores en una visita a las cooperativas de la Sierra Norte de Puebla, debió

181

acordarse de sí mismo muchos años antes. Acaso recordó cuando comenzó a trabajar en Tucta, a inicios de los años ochenta, cuando todas las tierras de las comunidades indígenas de la región estaban «rentadas» por los ganaderos. Entonces, para que los indígenas fueran dueños de sus propias vacas, Andrés Manuel ideó el programa «Crédito a la palabra», una forma de contar con liquidez para plantar, y evitar la usura. Siete sociedades ejidales recibieron un préstamo de cuatro millones de pesos, en los municipios de Jonuta y Nacajuca. En febrero de 1981, se fundó la estación de radio *U t'an aj yok'ot'an*, La Voz de los Chontales, la primera en transmitir para 84 comunidades.

Lo que María Luisa le enseñó en 2011 fue algo muy similar: la Caja de Ahorro y Crédito «Tosepantomin» (El Dinero de Todos); la radiodifusora Limaxtún-Tosepan, en náhuatl y totonaco, el Calli-Tosepan, hospedaje y alimentación para servicios ecoturísticos, y las escuelas primaria y secundaria de los cooperativistas. Fue como si el proyecto de La Chontalpa de Pellicer en Tabasco se hubiera realizado en la sierra cafetalera de Puebla.

> Ésta es la parte del mundo en que el piso se sigue construyendo.
> Los que allí nacimos tenemos una idea propia
> de lo que es el alma y de lo que es el cuerpo.

Salgo del Metro para caminar de regreso, en la madrugada, hacia la casa. No creo que haya algún delincuente esperando en las sombras en una noche que ha sido de celebración. No asaltan en domingo, ¿o sí? Lo que veo es una posibilidad de que alguna o todas estas «regeneraciones» se lleven a la realidad. Esa es la expectativa. Recuerdo una frase de López Obrador después del plantón sobre Reforma con la demanda de que se contaran los votos, casilla por casilla:

«Los que se preguntan ingenuamente si soy como Chávez o como Lula, les digo que yo soy pelliceriano».

Lo que quiere decir es que se cumpliría lo que nunca pudieron hacer ambos. El fideicomiso que iban a crear con las comunidades indígenas dependía de la venta de unas pinturas de José María Velasco, propiedad de Pellicer. Unos días antes de concretar la subasta, alguien entró en la casa del poeta y se las robó.

¿Qué nos espera?

Nunca se sabe con la historia. De pronto se llena de gente y de pronto la abandonan. Aquí se abarrota de salida de emergencia, de reconstruir el barco con los restos que dejó el naufragio, de que se vayan los ruines y no sigan medrando, rondando el saqueo. Somos como el agua del pozo que se derrama: cubriremos la tierra por querernos beber el cielo.

Pero, al menos, sabremos lo que es la luz.

Epílogo

Aquí estoy, despoblándome de sueños,
yendo a la realidad sin conocerla.
Por la enorme ventana del día
aviento mis ojos –puñado de pájaros–
y te guardo mis voces de ausencia
cantando este canto.

La forma en que cae un telón sobre un escenario nos dice mucho acerca de la forma en que esa sociedad percibe el poder. Sabemos, por ejemplo, que en el teatro de la polis griega, el telón de los espectáculos públicos era jalado de abajo hacia arriba. En el medievo monárquico el telón caía del cielo. Hoy, lo más común es que se abra por el centro y corra horizontalmente, una cortina hacia la izquierda y, otra, hacia la derecha.

Durante casi un siglo, en la liturgia priista, el velo ha sido quitado desde arriba y diferencia lo que viene del Cielo de lo que está en la Tierra, los espectadores. Esta forma del telón señala al candidato pero, sobre todo, a quienes deben, a partir de ese instante revelador, apoyar, respaldar, elogiar y refrendar: los priistas. El poder, según los textos del siglo XVII, tenía dos rostros: el visible y el arcano. El secreto del poder no es el «destape», sino quiénes han jalado los hilos desde arriba.

El grabado que le dio portada al *Leviatán* de Thomas Hobbes –y que ahora circula otra vez como cubierta de un ensayo que champurrea lo mismo a Donald Trump, a Podemos en España y a Andrés Manuel– es el retrato de un soberano, con un báculo en la mano izquierda y una espada en la derecha. En el lugar donde va el nombre del libro y su autor hay un velo de los que se levantan desde arriba. El cuerpo del soberano está compuesto de una infinidad de pequeños cuerpos, de anónimos, que le dan forma. El soberano, como un monstruo, se levanta sobre una cordillera que protege a una ciudad. Pero la ciudad está desierta. Suponemos que lo está porque todos los ciudadanos han corrido a organizarse como cuerpo del soberano. Al menos eso es lo que Hobbes escribe sobre el contrato que permite la existencia del Estado. Hobbes había escrito *Leviatán* originalmente para Carlos II de Inglaterra en 1651. El rey venía de la desaparición de la monarquía por una revuelta en la que su padre terminó ejecutado. Él la restauró teniendo cuidado de considerar al Parlamento en todas sus decisiones. Por eso Hobbes elige para darle nombre a su ensayo a un monstruo que aparece en la Biblia, en el Libro de Job. Es el dragón de la guerra civil que debe contenerse mediante un Estado en el que no haya más «pueblo» que el que apoya al rey. Por eso los cientos de ciudadanos son retratados en la portada como conformadores del monarca armado con la Iglesia (el báculo) y el ejército (la espada). En el Libro de Job se dice esto de Leviatán: «Ve todo desde lo alto, él es rey sobre todos los hijos de la soberbia». Como sabemos «soberbia», en la clave católica, es rebelión. Por lo tanto, el Estado es un monstruo que gobierna desde arriba con fuerza sobre una ciudad desierta.

Ya habrán advertido que lo que me pregunto sobre la liturgia priista que nos avasalló durante casi un siglo, no es sobre el candidato sino sobre los cuerpos que sólo sirven para apoyarlo, es decir, los priistas. No son, por supuesto, ciudadanos, sino multitud, «acarreados», «cargada». Hay una animalización de la base del PRI: sólo existen si apoyan. Hobbes escribe así de los súbditos que deben respaldar a Carlos II: «En el instante mismo en que se elige el soberano, el pueblo se disgrega en una multitud confusa. Ya no es una sola persona sino una multitud disuelta». Para Hobbes hay un estado de naturaleza previo al pacto político, que es «la guerra de todos contra todos». Según él, un contrato en torno al soberano es lo que impide que nos matemos. Pero una vez pactado el soberano, el «pueblo» pasa, de nuevo, a disgregarse. Esa multitud es la que precede al rey y lo sobrevive pero no tiene un contenido político. Escribe Agamben sobre esto: «La multitud es el elemento impolítico sobre cuya exclusión se sustenta la ciudad». Así, los priistas serían lo anónimo que se relega para alimentar al PRI. El priismo entraña ese misterio de todos aquellos que no pueden hacerse presentes, salvo a través de los hombres que los representan.

¿Dónde están los priistas y su cultura? Sabemos que sus representantes son los líderes sindicales enriquecidos, los coordinadores del voto repartiendo cosas a cambio de votos, la burocracia que, de otra forma, no tendría un cheque mensual asegurado. Pero, en un partido donde la ideología siempre ha estorbado porque, en realidad, el poder es visto como un método para permanecer en el poder, nadie puede reivindicarse priista sin llamar a la mueca. Sin principios políticos ni morales, el PRI es la estructura de compromisos del conformismo. En la base estaría formado por los que, al tener un trabajo, se les impone un sindicato y terminan en la lista de afiliados al Partido, por los que creen que su existencia pobre y abnegada podría empeorar si decidieran actuar, y por los que esperan recibir un beneficio, por mínimo que sea, a cambio de la lealtad. Como en el grabado del libro de Hobbes, es el gigante cubierto de cuerpecitos que se asoma sobre la ciudad desierta. No hay ciudadanos, sino moléculas de súbditos que lo componen. Cuando el candidato del Partido les dijo: «Háganme suyo», lo que reprodujo fue esa idea hobbesiana del rey-suma de una multitud que no puede existir por sí misma.

Se dice que ninguno de las candidaturas del telón que se alzó para el 2018 provenía de un método democrático. Como en muchos otros asuntos, no es lo mismo una representación política como efecto de sumar movimientos, organizaciones, personajes; a una representación por inercia. El PRI se para, como el monstruo de Leviatán, sobre las aguas, fuera de la ciudad, fuera del alcance, seguro de que quienes lo apoyan se someterán a la animalidad de la «cargada», es decir, del apoyo disciplinado a «lo que se decida».

De la mención en el Libro de Job, a la tradición hermenéutica hebrea y cristiana, Leviatán acabó por ser asociado al Anticristo de los últimos días del mundo. Tanto él, la serpiente marina, como Behemoth, el monstruo terrestre parecido a un toro, terminan en el Apocalipsis como los seres que, en un origen, señalaron el pecado original en el Paraíso. La serpiente del inicio es la del final. El Nuevo Testamento no tiene más que tres acepciones de la palabra «pueblo»: multitud, turba y plebe. El grácil *demos* de la polis griega se desvaneció, no existe. Pero eso no quiere decir que no opere en la realidad mexicana. El Leviatán priista no puede pensar, sólo defenderse y aplastar. No puede dialogar, sólo exhibirse. Se levanta el telón y ahí aparece.

La política contemporánea es, como dice Giorgio Agamben, una secularización de la escatología. Es un referirse en palabras civiles, plebeyas, y laicas al destino último de los humanos y su mundo. Piensen en el uso mundano que le damos al término «crisis», es decir, el que denota el Juicio Final. O cómo vivimos una campaña electoral y sus resultados como si se disputara el final de los tiempos. Como si Leviatán y Behemoth se aparecieran a las puertas de la ciudad y arrasaran con sus fortalezas.

Para Hobbes, la escatología y el esoterismo eran parte de su teoría política. Él no buscaba que se asentara el Estado-Leviatán entre nosotros, sino que esperaba un «reino» real en el que, entre otras cosas, se podría resolver la diferencia entre la multitud real pero invisible y el poderoso ungido por ese mismo pueblo, que se podría solucionar el misterio de la representación política de la soberanía popular.

En la tradición del Talmud y del Midrash, este momento en que la política se colma y deja de ser insuficiente, injusta y motivo de angustias, es la batalla en la que se matan mutuamente Behemoth y Leviatán. Los textos refieren que «los justos» –los que sobrevivieron al final de los tiempos– toman los cuerpos de los monstruos, los cocinan, y se los cenan. Me pregunto si, para acabar esa historia de guerra, destrucción y aniquilamiento, tiene que incorporarse a la nueva historia lo que tanto le dolió, si el primer acto de una nueva obra de teatro tendría que empezar con los sobrevivientes comiéndose al monstruo que los atacó.

El telón que se abrió el 1 de julio de 2018 no lo hizo desde arriba, sino por la mitad.

Es la aparición de los ciudadanos, una vez más, no en las calles, sino en las urnas. pero nunca está claro qué se está haciendo cuando colectivamente se siente que hay algo nuevo. Es una huella de la acción que deberá ser narrada, interpretada y armada con posterioridad. Existimos entre el aparato del Estado y la sociedad civil; entre el ejercicio de nuestros derechos y la disciplina. Eso somos, y en cualquier momento podemos dejar de participar.

Somos la grandeza de lo pequeño, de lo menudo, lo limitado, lo que nace de un espíritu de lo común. La otra grandeza, la del Estado, es la de la expansión obsesiva, la vigilancia intrusiva, el movimiento de los aparatos burocráticos hacia la conquista de planes maníacos. El de la sociedad civil es un poder que no surge de los «gladiadores de la política» –los «atletas de hacer obedecer», según Peter Sloterdijk–, sino de la igualdad cuyo valor angular es haber nacido iguales. Para el Estado, la política es un arte del pastoreo. Para la sociedad civil, es de asistencia –en su doble sentido de presencia y de amparo–, el cuidado, entre iguales. Para el Estado, la política es un arte de boticario que hace tragar «por su propio bien, la amarga medicina». Para la sociedad, nunca resultará aceptable usar a los demás como medios. Para el Estado, la política es el arte de repartir la crueldad. Para la sociedad, es el arte de condolerse.

Podemos ser una ética de convivencia nueva: una idea no económica de la riqueza, una definición no militar de la valentía, una sensación de logro sin los reconocimientos. Hay una vertical que no es jerárquica ni mística y que es nuestro «aún-no» como sociedad. Nuestro «aún-no» es una verticalidad que invierte el poder con una ética del «a pesar del Estado». La sociedad de la emergencia funda sus fortalezas éticas en las carencias y, con frecuencia, en sus debilidades. La verticalidad es la creación de lo imposible, en su aparición como existencia, cuenta mucho la idea de una sociedad que se dice a sí misma: «no dejes de querer».

La emoción es la venganza de la vida real sobre lo descomunal. De lo mundano, de lo plebeyo, sobre lo grandote. La desproporción habitual entre el poder de la cúspide y nuestra pequeñez de ciudadanos se invierte: los que sabemos somos los que estamos en comunidad, en soberanía, los que sabemos del sufrimiento que implica convivir. Sólo el breve arte de la pertenencia mutua puede ser otra política. En medio de lo inconmensurable del Estado, de las corporaciones globales, de los bancos, los ciudadanos restauramos las dimensiones humanas. Como escribió Albert Camus, «es por la humildad por la que se cuela la esperanza».

Telón